SUSAN HOPPER

Anne Plichota et Cendrine Wolf

Susan Hopper

Les Forces fantômes

Tome 2

ISBN : 978-2-84563-561-6

À tous ceux qui savent tendre la main
et ouvrir leur cœur.

Précédemment...

À trois ans, après avoir mystérieusement réchappé à un terrible incendie qui a coûté la vie à ses parents, Susan a été placée dans un orphelinat des Highlands, en Écosse. Pendant onze ans, chaque fois qu'elle a été accueillie par une nouvelle famille, celle qu'on surnomme la « fille du diable » a fait en sorte qu'on ne l'aime pas.

Mais le jour arrive où le parfum perdu de sa mère réapparaît. La femme qui le porte est Helen Hopper. Susan décide d'emblée que cette famille sera la sienne. C'est ainsi qu'Helen et James Hopper - sur l'insistance de leur fils Eliot - l'emmènent vivre avec eux, dans leur somptueux manoir.

Helen n'est pourtant pas d'un abord facile. Très « civilisée », elle a du mal à montrer le moindre sentiment. James est davantage enjoué, mais souvent absent à cause de son métier d'antiquaire. Heureusement, Susan peut compter sur

Eliot. Malgré une maladie qui l'empêche de vivre comme tout le monde parce qu'il ne tolère pas la lumière du soleil, le jeune garçon s'attache rapidement à celle qui est venue briser sa solitude. D'autant qu'un secret les rapproche.

Dès son arrivée au manoir, Susan a commencé à faire des rêves étranges. Et, petit à petit, elle a entraîné dans ses aventures nocturnes Eliot, mais aussi son excentrique grand-père Alfred, et même la petite chienne Georgette.

Dans ce monde intermédiaire, il leur est révélé que le manoir des Hopper était autrefois la demeure des Rosebury, une famille aristocrate maudite, dont Susan est la dernière descendante.

Trois siècles plus tôt, Morris Rosebury était tombé amoureux d'une très belle femme, la redoutable Meredith O'More. Il ignorait que celle-ci, poussée par le désespoir, avait conclu un pacte démoniaque : la beauté éternelle contre la vie de très jeunes enfants. Le père de Morris, l'apprenant, tua Meredith O'More. Mais l'âme noire de Meredith survécut, et elle maudit les Rosebury jusqu'à la douzième génération. Chaque fois qu'un couple aurait un enfant, les parents mourraient, laissant derrière eux un orphelin.

Susan est la douzième de la lignée. Lorsque la jeune fille mourra, Meredith renaîtra. Dans le monde des esprits, la mère de Susan, Emma, tente de lui venir en aide. Mais son père, Daniel, a rallié Morris et Meredith O'More. Ils font tout pour que Susan leur livre son âme. Ils iront même jusqu'à exposer Eliot à un puissant rayonnement solaire.

Le garçon sombre dans le coma, mais son esprit se matérialise grâce au pouvoir d'un foulard ayant appartenu à la mère de Susan. Ayant conservé son apparence, Eliot cache son corps chez son grand-père afin de dissimuler la vérité à ses parents. Il ne voudrait pas compromettre les chances de Susan de faire partie de la famille. Car la jeune fille le sait maintenant : en dépit de la menace que fait peser sur elle et sur Eliot la malédiction, elle veut devenir Susan Hopper.

Mais de nouveaux tourments viennent bouleverser leurs espoirs. Morris et Daniel se sont eux aussi matérialisés dans le monde réel, pour s'installer non loin du manoir des Hopper...

1.

Le manoir des Hopper, vaste propriété aux abords de Thornshill, ne se trouvait pas à proximité immédiate de la petite maison qu'allaient habiter Daniel Hamilton et son jeune frère, Morris. Mais ces derniers avaient néanmoins tenu à venir se présenter eux-mêmes, ce qui semblait enchanter Helen Hopper, la maîtresse des lieux.

— Oh, c'est si aimable à vous de nous inviter dans votre atelier ! s'exclama-t-elle sur ce ton policé dont elle se départait rarement. Je n'ai jamais vu de vrai souffleur de verre à l'œuvre, je serais ravie d'assister à cela. Et les enfants aussi, d'ailleurs !

Elle se tourna vers Susan et Eliot, immobiles au pied de l'escalier du grand hall d'entrée.

— C'est parfois si difficile de s'occuper pendant les vacances d'été… ajouta-t-elle à l'adresse de Daniel.

Aucun des deux ne broncha. La conversation badine qui se déroulait à quelques pas n'avait pas le même écho pour eux. Pour Helen, Daniel et Morris Hamilton avaient tout l'air de charmants voisins. Pourtant, ils s'avéraient être les pires ennemis des deux ados.

Des démons revenus à la vie pour faire de la leur un enfer.

Profitant de ce qu'Helen ne le regardait plus, Daniel Hamilton adressa à Susan un regard, sournois et inquiétant à la fois, qui la glaça.

– C'est parfait ! s'exclama-t-il, à nouveau face à Helen. Nous n'allons pas abuser davantage de votre hospitalité. Voici ma carte...

Une fois la porte refermée, Helen dévisagea Susan et Eliot d'un air réprobateur. Elle n'eut pas besoin de dire un seul mot, le froncement de ses sourcils et le pincement de ses lèvres suffisaient : ils n'avaient pas été très polis, elle en était déçue.

Elle adressa néanmoins un regard plus sévère à Eliot, son fils. Susan, elle, habitait au manoir depuis seulement quelques semaines. Elle avait l'excuse de ces années passées à l'orphelinat où les règles de bienséance n'étaient sans doute pas aussi strictes que chez les Hopper.

– Viens... fit Eliot.

Il entraîna Susan jusqu'à une des tours où ils aimaient se réfugier. Depuis la petite fenêtre, on pouvait voir le parc s'étaler dans toute sa beauté, infinies nuances de vert, jusqu'au loch qui miroitait sous de timides rayons de soleil.

– Ne flanche pas, Susan, murmura Eliot. J'ai besoin de toi.

Elle ne répondit pas. Qu'aurait-elle pu dire, à part qu'elle était terrifiée ? Quelques instants plus tôt, son père, Daniel Prescott, alias Hamilton, mort onze ans auparavant, se tenait sur le pas de la porte en compagnie d'un de ses ancêtres, vieux de plus de trois cents ans.

Daniel l'avait juré à Susan : les douze âmes de son clan, bras armés de Meredith O'More, feraient tout pour la pousser à donner sa vie.

La mort de Susan signerait la renaissance de la lady maudite. Mais la jeune fille était protégée, inapprochable. Les esprits des Rosebury y veillaient, en tête celui de sa mère, Emma Prescott, héritière de l'illustre famille, porteuse et victime de la malédiction comme tous ses ancêtres.

Le premier à payer le prix de cette guerre parricide était Eliot, le garçon le plus adorable que Susan ait jamais connu. Atteint de la maladie de la Lune – *xeroderma pigmentosum* en langage médical –, il craignait plus que tout les rayons ultraviolets. D'où la combinaison de cosmonaute, les lunettes de ski et la cagoule qu'il portait dès qu'il lui fallait mettre un pied hors du manoir.

Daniel Prescott avait commis un acte abject en l'exposant en plein soleil. Sa maladie s'était alors aggravée de façon foudroyante, au point de plonger le garçon dans le coma. Tandis que son corps physique se trouvait à l'abri dans la petite maison de son grand-père Alfred, il revêtait une autre forme de réalité grâce au précieux foulard bleu d'Emma, seul vestige que Susan avait réussi à garder de sa mère. La jeune fille en avait découpé des bandes pour les nouer autour des poignets d'Eliot, faisant de lui à la fois un fantôme de chair et d'os et un être humain en sursis. Plus vivant que mort, il pouvait néanmoins basculer à tout moment là où les démons avaient voulu l'attirer.

Je ne te lâcherai pas, Eliot. Jamais !

C'est ce que le regard de Susan exprimait. Les mots, eux, ne sortaient pas. Ils restaient en dedans, long cri de révolte qui la déchiquetait.

Pourquoi tu me fais ça, papa ? J'allais être heureuse pour la première fois de ma vie, les Hopper étaient en train de commencer à m'aimer, ils allaient m'aimer... Et toi, tu débarques avec cette malédiction, tu cherches à ce que je meure pour satisfaire le délire d'une hystérique mégalo et égocentrique... C'est cruel ! Injuste ! Dégueulasse !

Un aboiement retentit dans l'escalier. Tirée de ses amères réflexions, Susan en éprouva un certain soulagement.

— Ah, il y en a une qui nous a débusqués, fit Eliot avec un sourire forcé.

Le claquement empressé de petites pattes annonça l'arrivée imminente de Georgette, la facétieuse chienne d'Eliot.

— Salut, ma p'tite commère ! Tu viens voir ce qui se passe ? Tu ne peux pas t'en empêcher, hein ?

Susan la serra dans ses bras. Elle avait fini par se prendre d'affection pour le carlin qui, plus d'une fois, l'avait tirée de l'embarras. Reconnaissante et haletante, Georgette soufflait très fort sur son visage, tout en la léchant frénétiquement.

Eliot caressa le cou épais de la chienne, ses doigts frôlèrent ceux de Susan. Elle frémit, comme chaque fois qu'un contact physique, fortuit ou non, s'établissait entre les autres et elle. Réflexe de petit animal sauvage. Manque d'habitude d'une ado malmenée par la vie. Pourtant, elle ne fit rien pour briser ce lien. En tout cas, pas volontairement.

— Ce n'est pas Mme Pym qui court là-bas ? demanda-t-elle soudain.

Eliot la lâcha des yeux, à contrecœur, pour regarder en direction du parc.

— Oui. Mais qu'est-ce qui lui arrive ? Elle a l'air complètement paniquée !

Des cris ne tardèrent pas à leur parvenir. Susan et Eliot virent Helen sortir du manoir pour aller à la rencontre de la gouvernante. Qui se jeta dans ses bras, en pleurs.

Cette journée va être affreuse, je le sens.

Susan avait raison, malheureusement. Mais elle ne se doutait pas encore à quel point.

2.

Effondrée sur une chaise dans le hall d'entrée, Mme Pym se tordait les mains. Son visage rond luisait de larmes et donnait à sa peau l'aspect de la cire fondue. Debout à ses côtés, Helen parlait à voix basse avec le médecin.

Discrets et dévoués, les Pym étaient au service des Hopper depuis tant d'années qu'ils connaissaient le domaine et leurs occupants mieux que quiconque. Réciproquement, ils représentaient bien davantage qu'une simple gouvernante et qu'un zélé jardinier indispensables au fonctionnement du manoir. Car, même si les relations entre les Pym et les Hopper conservaient ce qu'il fallait de bienséance et de distance, nul doute qu'un véritable attachement liait les uns aux autres.

Les gravillons du parterre crissèrent sous les pas des infirmiers autour du fourgon médical. La civière supportant le corps de M. Pym, intégralement recouvert d'un drap d'hôpital, apparut alors dans l'encadrement de la porte à double battant.

Cette vision arracha de nouveaux sanglots à Mme Pym, saccadés, entrecoupés de mots incohérents aux oreilles d'Helen.

Susan et Eliot, eux, établissaient des liens, faisaient des déductions, comprenaient.

– Mon pauvre Logan... Il faisait encore nuit... insomniaque... parti faire des photos dans le parc... sa passion...

Ils n'avaient aucun mal à imaginer ce qui s'était passé.

M. Pym nous a vus quand on emmenait le corps d'Eliot chez Alfred. Il a été trop choqué, son cœur a lâché.

– Vous deux, ne restez pas là, s'il vous plaît ! fit Helen en remarquant leur présence.

Eliot monta quelques marches, Susan derrière lui. À l'abri de la rambarde de pierre, ils échappaient au regard d'Helen tout en surplombant le hall. Sans vraiment savoir ce qu'ils attendaient, ils restèrent là comme de petites vigies perchées dans l'ombre.

La tête de Mme Pym dodelinait au sommet de son cou et penchait d'un côté à l'autre. Helen posa une main sur l'épaule de la pauvre femme, sans toutefois s'approcher plus qu'il ne fallait. D'ailleurs, elle se dégagea très vite pour chercher un paquet de mouchoirs en papier dans la console et en tendit un à Mme Pym dans un geste presque autoritaire. Par réflexe, cette dernière bredouilla un vague remerciement.

Depuis leur cachette, Susan et Eliot retenaient leur respiration. Ils n'osaient ni se regarder ni bouger. Aussi eurent-ils un frisson d'effroi lorsque le portable d'Eliot vibra dans sa poche. Le garçon plongea la main dans les replis de sa combinaison. L'écran du portable, encore éclairé, indiquait la réception d'un SMS.

Le doigt tremblant, Eliot pressa sur l'icône de la messagerie.

Belle photo, n'est-ce pas ?

Accompagnant ces mots, une image saisissante : Alfred portait ce qui apparaissait comme un long paquet blanc, Susan et Eliot marchaient à ses côtés dans la lumière à peine naissante du petit matin. On apercevait même Georgette à travers les hautes herbes.

Qu'en penserait la charmante Helen Hopper ?

Ce deuxième message paralysa Eliot. En voyant sa mine défaite, Susan lui prit le téléphone des mains et blêmit à son tour. Elle rendit l'appareil à son ami en faisant son possible pour éviter son regard, qu'elle devinait posé sur elle. Elle n'avait aucune idée de la façon dont elle aurait pu le soutenir, et encore moins le rassurer. Tout ce qu'elle était capable de faire, c'était d'encaisser comme elle l'avait toujours fait : en enfermant ses tourments à double tour dans son esprit.

Le gyrophare du fourgon zébra les murs de flashs sinistres. Helen aida Mme Pym à monter à l'arrière, auprès de son mari désormais défunt, et lui promit de la rejoindre très vite pour s'occuper des formalités. Puis elle ferma la porte et se passa les mains sur le visage en soupirant tristement avant de s'éloigner vers la cuisine.

* * *

Susan et Eliot restèrent un long moment assis sur les marches. Les coudes sur les genoux, la jeune fille tirait sur les manches de sa marinière, un geste machinal et nerveux qui déformait tous ses vêtements, mais qu'elle n'arrivait pas à s'empêcher de faire. Tandis que ses yeux fixaient les motifs bien ordonnés des lattes de parquet, ses pensées, au contraire, fusaient dans tous les sens.

— C'est un vrai cauchemar… finit par lâcher Eliot.

Parlait-il de la malédiction qui l'avait frappé de plein fouet ? De M. Pym, foudroyé au petit matin ? De la photo, si compromettante, et du message, si menaçant ?

— On a l'embarras du choix, marmonna Susan en réponse à ses propres questions.

— Qu'est-ce que tu racontes ?

Elle secoua la tête. Elle n'était pas encore habituée à ce qu'on l'écoute lorsqu'elle disait quelque chose.

— C'est terrible, répondit-elle dans un murmure.

Les mots qu'elle voulait dire restèrent bloqués dans sa gorge. Les soupçons, les évidences, la logique… rien ne sortait.

Elle se leva et, se surprenant elle-même, prit la main d'Eliot pour l'emmener.

* * *

La casquette de M. Pym était restée là où le vieil intendant s'était effondré, quelques heures plus tôt, dans cette partie en contrebas du parc, où la brume matinale avait toujours plus de mal à se lever. Susan et Eliot cherchèrent tout autour, sans oser toucher le couvre-chef à carreaux, enfoui dans l'herbe. Mme Pym aurait aimé le récupérer, sans doute. Mais les deux amis n'étaient pas là pour ça.

L'appareil photo de M. Pym ne se trouvait pas loin, au pied d'un arbre contre lequel il avait vraisemblablement été projeté. Hormis le verre brisé de l'objectif, il ne semblait pas endommagé. Eliot prit l'initiative de le mettre en marche. Il l'examina, pressa différentes touches, le tourna, ouvrit les petits clapets qui se trouvaient en dessous, avec l'assurance de celui qui sait ce qu'il cherche et où il doit chercher.

Au bout de quelques secondes, Susan perçut le froncement de sourcils à travers les grosses lunettes de ski du garçon.

— Il y a un problème ?

— La carte SD… elle n'est plus là !

De quoi pouvait-il s'agir ? Qu'est-ce que cela impliquait ? Susan n'en savait rien du tout. Mais elle pouvait en deviner la gravité dans les gestes, le regard, le ton d'Eliot.

Devant la perplexité évidente de la jeune fille, il expliqua :

– C'est la carte mémoire qui permet de stocker toutes les photos prises avec cet appareil.

Il ne fallut pas longtemps à Susan pour comprendre. Et encore moins aux deux amis pour aboutir à la terrible conclusion : la carte avait été volée par quelqu'un qui n'avait pas hésité à user de la force.

Peut-être le voleur s'était-il battu avec M. Pym.

Peut-être l'avait-il tué.

– C'est Daniel...

3.

Cette journée avait commencé de la pire façon. Elle se poursuivit dans une atmosphère pesante. Helen, fidèle à son habitude, se comportait comme si rien n'était arrivé et y parvenait très bien. En l'absence de Mme Pym, elle prépara le déjeuner de Susan et d'Eliot, et le partagea avec eux dans la grande cuisine silencieuse, même si personne n'avait vraiment faim.

Les deux amis, en revanche, avaient toutes les raisons d'être nerveux. La nouvelle nature d'Eliot leur donnait des sueurs froides. À chaque instant, Helen pouvait se rendre compte que son fils n'était plus tout à fait vivant. Susan avait l'impression d'avancer en apnée, traquant le moindre détail qui pourrait attirer l'attention.

Tenir sa fourchette, mâcher avant d'avaler sans risquer de s'étouffer, couper du pain... Pour Eliot, tout représentait un obstacle, une épreuve. Susan ne le quittait pas des yeux et l'aidait à l'insu d'Helen. Et Georgette faisait le reste, engloutissant sans aucune discrétion la nourriture que son jeune maître ne pouvait ingurgiter.

Duper Helen n'était cependant pas le plus pénible. Non. Leur principale terreur se concentrait sur son téléphone portable. L'écran pouvait s'éclairer à n'importe quel moment pour signaler la réception d'un message, afficher l'envoi d'une photo, briser les fragiles fondations de ce que chacun avait réussi à construire. Les propulser dans un puits sans fond.

Tandis que sa mère se préparait un café, Eliot hésitait. Susan le voyait à son regard qui passait du portable, posé sur la table, à la silhouette d'Helen, patientant devant le comptoir. Au moment même où le café se mit à couler, le portable émit la sonnerie tant redoutée. Juste un petit tintement, léger comme un carillon, perdu au milieu du vrombissement de la machine. En panique, Susan dévisagea Eliot alors qu'il abattait la main sur l'appareil d'un geste hélas trop imprécis.

Helen se retourna brusquement. Les lèvres entrouvertes, elle regarda son portable, explosé sur le sol dallé de la cuisine, puis Eliot et Susan. Elle attendit cinq ou six secondes – les plus longues que Susan eût jamais connues – avant de demander avec une stupéfaction contenue :

— Est-ce que l'un de vous deux peut m'expliquer ce qui vient de se passer ?

— Excuse-moi, m'man ! Je ne l'ai pas fait exprès !

Ce n'était pas la première fois qu'Eliot surprenait Susan par son aplomb. Il semblait aussi désolé que s'il avait commis une simple maladresse.

Il fait aussi bien que moi le petit oisillon tombé du nid...

Sa candeur apparente convainquit Helen. Le courroux disparut de son visage, elle le regarda d'un air plus désolé que réprobateur.

— Attends ! Je vais t'aider ! fit Susan en se précipitant auprès de son ami, agenouillé par terre.

Elle ramassa les éléments du portable, éparpillés un peu partout, et les lui donna avec autant de précautions que s'il s'agissait d'une bombe prête à exploser. Impressionnée par sa dextérité, elle eut l'impression que l'opération de remontage allait beaucoup trop vite. Et pourtant, Eliot prenait largement son temps.

La dernière pièce remise en place, le portable vibra en faisant retentir quelques notes triomphantes.

— Super ! s'exclama Susan.

Elle n'en pensait pas un mot. Mais c'est sans doute ce qu'elle devait dire dans ce genre de circonstances : minimiser l'incident et se réjouir que tout finisse bien.

— C'est quoi ton code PIN ? demanda Eliot à sa mère.

Les sourcils « accent circonflexe » firent leur réapparition sur le visage d'Helen.

— Je vais le faire, t'inquiète.

Le petit oisillon revint à la charge.

— Laisse-moi deviner : quatre zéros ?

Le regard un brin taquin qui accompagnait sa question fit capituler Helen. Elle acquiesça par un sourire. Les doigts d'Eliot coururent à toute vitesse sur l'écran. Quand il tendit le portable à sa mère, Susan se détendit.

Ouf... Il n'y a pas péril en la demeure... auraient dit les McMurphy, douzième famille d'accueil.

— Voilà, tout est OK ! lança-t-il. Euh... je crois que tu as reçu un message de Mme Pym.

— Merci, Eliot.

D'un signe de tête, il invita Susan à le suivre hors de la cuisine. Ils s'engagèrent dans l'escalier et regagnèrent la chambre du jeune homme. Là, Susan se rendit compte des efforts que les derniers instants venaient de coûter à son ami : sa peau était encore plus décolorée, ses cernes encore plus cendreuses.

Il semblait encore plus mort.

— Ma mère a reçu la photo... souffla-t-il.

Il se laissa tomber sur son lit.

— Je l'ai effacée, poursuivit-il. Mais ton père ne lâchera pas comme ça.

— Ce n'est pas mon père !

Eliot se redressa sur les coudes et fixa Susan. Elle venait de crier si fort !

— C'est un esprit mauvais, bredouilla-t-elle, dents serrées, larmes aux yeux.

Eliot n'avait encore jamais vu autant de colère en elle. Mais il la comprenait. Ô combien.

— Excuse-moi, murmura-t-il. Ce n'est pas ce que je voulais...

— J'ai compris, le coupa Susan.

Elle faillit ajouter qu'elle s'excusait, elle aussi. De son ton brutal. De ce père qui n'en était plus un. De ces rêves terribles dans lesquels elle avait malgré elle entraîné ceux qui désormais comptaient tant pour elle. De toutes ces horreurs qui déboulaient dans sa vie en fracassant son présent et son avenir. Or, comme pour tant d'autres choses, elle ne savait pas comment faire. Elle détourna la tête, mais Eliot avait eu le temps de saisir son regard, vairon, étrange. Elle le sentit et se demanda quelle attitude était censée être la bonne. Le garçon était amoureux, elle devait observer la plus grande prudence, ne pas le blesser, ne pas se rendre détestable.

— Eliot ? Susan ? Où êtes-vous ?

Eliot se leva précipitamment, Susan à sa suite.

— On est là, maman ! lança-t-il depuis le couloir.

Helen apparut en haut de l'escalier, visage marmoréen, posture altière.

— Je vais chercher Mme Pym, annonça-t-elle.

En les voyant tous deux, calés dans l'embrasure de la porte, son nez se plissa légèrement et son regard devint plus humide.

— Je n'en ai pas pour longtemps, ajouta-t-elle.

Elle se tint immobile, figée sur la dernière marche, l'air de ne pas pouvoir se résoudre à partir. Eliot laissa échapper un petit soupir.

– On va rester tranquillement dans ma chambre, il ne va rien arriver ! dit-il d'un ton rassurant.

Puis, se tournant vers son amie :

– Hein, Susan ?

– Non, il ne va rien arriver, répéta-t-elle.

Les mots sonnèrent étrangement à ses propres oreilles. Comptait-elle vraiment convaincre Helen avec cette voix monocorde et étouffée ?

– Bon, alors j'y vais.

– À tout à l'heure, maman !

– À tout à l'heure.

Sa neutralité retrouvée, Helen pivota sur ses talons. Sa queue-de-cheval se balança dans son dos au rythme de ses pas alors qu'elle redescendait le grand escalier. Comme à chaque mouvement qu'elle faisait, elle souleva de délicates bouffées de parfum. Le cœur de Susan s'accéléra. Elle ferma les yeux pendant quelques secondes, le temps de s'étourdir des effluves qui flottaient dans l'air.

Maman...

4.

À peine la voiture de sa mère eut-elle disparu dans l'allée qu'Eliot se dirigea vers le hall d'entrée.

— Tu ne veux pas venir ? fit-il en se retournant vers Susan, immobile au milieu du couloir.

— Où ça ?

— Chez Alfred.

Avant de sortir, il ajusta consciencieusement la capuche de sa combinaison et ses grosses lunettes de ski. Susan en éprouva une profonde désolation. Eliot ne risquait sans doute rien, mais soleil rimait avec risque accru de cancer – et de mort – et ces gestes de protection étaient devenus un réflexe.

La lumière du jour fit cligner Susan des yeux. Pourtant, hormis quelques trouées bleu pâle, le ciel était gris et bas, si triste.

Georgette trottinant et haletant derrière eux, ils longèrent le potager, admirablement ordonné, légumes d'un côté, fruits de l'autre. Susan ne put s'empêcher de cueillir quelques grains de cassis – elle adorait ça. Puis ils s'engagèrent vers la roseraie. En traversant les allées de roses anciennes, certaines précieuses, Susan comprit pourquoi Helen y passait autant de temps. Parvenir à ce niveau de beauté et de perfection demandait certes beaucoup de travail, mais le lieu dégageait une telle sérénité que les heures devaient s'écouler sans qu'on s'en aperçoive.

Jusqu'alors, Susan trouvait les fleurs simplement jolies. Là, dans cette roseraie luxuriante, elle avait l'impression d'être transportée dans un monde de senteurs, de pétales aux infinies nuances, de délicatesse. Elle en était émerveillée.

Le parc opposa un véritable contraste lorsqu'ils poursuivirent leur chemin, Eliot, Georgette et elle. D'un monochrome vert foncé presque sinistre avec son herbe fade et la lisière de la forêt, plus loin, sombre, inhospitalière.

La tête ébouriffée d'Alfred apparut derrière une des fenêtres de sa petite maison. Susan trouva qu'il ressemblait à Einstein en train de tirer la langue – un des éducateurs du Home d'enfants où elle avait passé tant d'années portait cette photo sur un de ses tee-shirts.

— Mon cosmonaute préféré et miss Susan ! s'exclama-t-il en ouvrant la porte et les bras. Entrez ! Entrez vite !

Il referma derrière eux dans un tourbillonnement de tissus. Après Eliot, Susan laissa le vieil homme la serrer contre lui. Puis ce fut au tour de Georgette de recevoir toute la chaleur grand-paternelle.

– Toujours aussi croquignolette, la p'tite molosse !

Toujours aussi halluciné, cet Alfred... renchérit Susan en pensée.

Ce jour-là, comme tous les autres, il ne manquait pas d'étonner la jeune fille avec son kilt bleu et rouge, son gilet informe en laine beige boulottée et les bracelets qui tintaient à son poignet.

Ses yeux vifs et exorbités allaient de Susan à Eliot.

– Comment vont mes jeunes amis ?

Sa voix, tombée dans les graves, tremblait autant que ses mains. Eliot lui parla de la visite de leurs « nouveaux voisins » et de la mort de M. Pym, avant de lui montrer le message reçu en conclusion de ces sinistres événements.

– Ah, maudits soient ces fils de ribaude ! Bande de nodocéphales[1] ! jura le vieil excentrique.

Il inspira et expira profondément en frottant ses joues mal rasées.

– Pardonne-moi, miss Susan, ce sont tes ancêtres.

Yeux baissés, Susan se renfrogna. Alfred avait raison, sur tous les points.

– Quand je pense à ce pauvre Logan Pym... se lamenta-t-il. Nous avions le même âge, c'était

1. Littéralement : têtes de nœud.

un brave homme, il ne méritait pas de partir comme ça.

— Personne ne mérite ce qui arrive, tempéra Eliot en couvant Susan d'un regard inquiet.

Un énorme nœud de désespoir prit forme dans le cœur de la jeune fille. Aussi désemparés qu'elle, le grand-père et son petit-fils poursuivirent leur discussion.

— Qu'est-ce qu'on va faire si ma mère reçoit cette photo ?

— Mme Parfaite risque de me faire passer un mauvais quart d'heure en me voyant en votre compagnie.

— C'est sûr.

— Mais peut-être n'est-ce que de l'intimidation.

Alfred se tapota les lèvres du bout de l'index.

— Ou bien une forme de jeu diabolique, ajouta-t-il.

— Tu crois ? fit Eliot.

— Non.

Alfred était comme ça, les mots sortaient de sa bouche à la vitesse de ses pensées.

— La guerre des nerfs est déclarée, mes petits camarades !

Les bras le long du corps, droite comme un I, Susan plissa les lèvres.

Merci, Alfred, vraiment merci. Si on voulait être rassurés, c'est réussi.

— Mais nous riposterons et rendrons coup pour coup ! poursuivit le vieux fou.

Ces mots disant, il se saisit de la théière posée sur la table, au milieu d'un bric-à-brac insensé, et se versa une tasse de thé aussi noir que du café. Ses gestes étaient si désordonnés qu'il en versa autant sur la table que dans le récipient. Puis il but cul sec et poussa un cri comme s'il s'agissait d'un alcool fort. Peut-être était-ce le cas, d'ailleurs.

— Grand-père ? intervint Eliot.

— Mon petit cosmonaute ?

Eliot sembla soudain hésiter à poursuivre.

— Dis-moi, l'encouragea Alfred.

Son regard était si tendre et si inquiet que Susan en fut ébranlée.

— Comment je vais ? demanda le garçon dans un souffle. Comment va... mon corps ?

— Tu vas bien, tu dors, fit Alfred, la voix étranglée. Je t'ai posé une perfusion pour t'alimenter... J'avais conservé le matériel médical de ta grand-mère après qu'elle est...

Il détourna la tête. L'esquive était inutile, les deux amis avaient déjà aperçu les grosses larmes rondes qui roulaient sur sa peau ridée.

— Ah, ce thé est épouvantablement âcre ! lança-t-il en s'essuyant les yeux d'un geste brusque.

— Est-ce que je vais me décomposer ? insista Eliot.

— Fichtre non ! Ton cœur bat, tu respires, tu n'es pas mort !

Susan le regarda, l'air choqué.

Tu étais vraiment obligé de dire ça, espèce de vieux dingue ?

— Je peux... me voir ? murmura le garçon.

Après quelques secondes d'hésitation, Alfred se dirigea vers le fond de la maison. Il tira de sous sa chemise la clé qu'il portait suspendue autour de son cou et ouvrit la porte, fermée à double tour.

Susan doutait que ce soit une bonne idée. Et si Eliot éprouvait un choc en se découvrant ainsi, immobile comme un gisant de pierre ? Son corps provisoire n'irait-il pas spontanément rejoindre son vrai corps physique ? N'y aurait-il pas un effet d'attraction naturelle ?

Mais non. Il ne se passa rien de tout cela. Avec un étrange détachement, Eliot contempla celui qui était allongé là, le visage tavelé des taches brunes que l'exposition brutale au soleil avait générées. Puis il s'approcha, posa son oreille contre la poitrine de ce corps inerte, et retourna auprès de son grand-père et de son amie.

Alfred referma la porte, sans dire un mot, et finit par prendre son petit-fils dans ses bras. Il lui cala la tête dans le creux de son épaule et caressa ses cheveux avec autant de délicatesse que s'il était un joyau fragile. Comme si souvent, Susan se sentait de trop. Un être dérisoire, pourtant farouchement déterminé à exister, là, maintenant.

— Tu veux bien me montrer à nouveau cette photo, mon garçon ?

Eliot lui tendit son téléphone. Le nez quasiment collé à l'écran, Alfred mit ses lunettes avant de marmonner quelques jurons.

— Aucune personne dotée de toute sa raison ne peut imaginer que je suis en train de porter un corps, mes petits camarades ! clama-t-il soudain d'un air à la fois rageur et victorieux.

Le scepticisme de Susan et d'Eliot ne freina pas son enthousiasme.

— En admettant que l'irréprochable Helen reçoive cette photo, jamais de la vie elle ne pourra deviner la vérité ! expliqua-t-il.

— Ça ne l'empêchera pas de péter les plombs, objecta Eliot.

Alfred laissa apparaître un sourire ironique.

— Rien de bien effrayant, somme toute.

L'attitude figée de Susan finit par attirer leur attention. Les yeux rivés sur la fenêtre, la jeune fille devenait plus pâle à chaque seconde.

— Ho, ho, ho, nous n'allons pas tarder à pouvoir le vérifier ! fit Alfred.

5.

Malgré sa colère, Helen prit la peine de frapper à la porte de la maison d'Alfred.

— Bien le bonjour à vous, ma chère ! la salua le vieil excentrique.

Elle passa devant lui sans répondre, la nuque raide, le regard noir, déplaçant avec elle un courant d'air chargé d'hostilité.

— Où sont les enfants ?

Sa voix semblait lancer des échardes de glace. Depuis l'arrière-cuisine où ils se cachaient, Susan et Eliot priaient pour que Georgette n'attire pas l'attention de la visiteuse. Qu'elle trottine, se nourrisse, dorme, la petite chienne n'était jamais discrète. À cet instant, le meilleur moyen de la faire taire restait de lui donner à manger. Les nerfs à fleur de peau, Susan avisa un paquet de biscuits ouvert. De quoi tenir la gloutonne tranquille pendant quelques minutes.

— Je vous ai posé une question, rappela Helen à son beau-père.

— Les enfants ? fit mine de s'étonner Alfred. Quels enfants ?

— Je vous en prie, ne vous faites pas passer pour plus fou que vous ne l'êtes... Et arrêtez de me prendre pour une imbécile, par la même occasion.

Susan risqua un coup d'œil vers la pièce encombrée. Juste le temps de voir Helen brandir son téléphone face à Alfred, décontenancé.

Non, non, non ! Elle a reçu cette fichue photo !

— Dans quoi les avez-vous entraînés ? poursuivit Helen. Ce qui s'est passé avec votre femme ne vous a pas suffi ? Il faut aussi que vous mettiez en péril la santé de votre petit-fils ?

Alfred accusa le coup. Durement. Son visage se creusa, ses yeux se voilèrent, alors qu'il lâchait dans un murmure oppressé :

— Vous allez trop loin, Helen.

Ils se toisèrent tous deux pendant de lourdes secondes.

— Alors, dites-moi ce que vous trafiquiez avec Eliot et Susan, dans le parc, au petit matin ? reprit-elle en rangeant son portable dans la poche de son long cardigan marine.

Résigné face à l'évidence, Alfred soupira.

— Je transportais quelques affaires destinées à la déchetterie quand j'ai croisé les enfants qui profitaient encore de la nuit pour s'amuser en toute liberté, répondit-il avec un naturel confondant.

Les yeux toujours humides, il darda sur Helen un regard perçant.

– Car vous n'ignorez pas qu'Eliot a parfois besoin de se sentir normal, n'est-ce pas, Helen ? De jouer au foot ou de se baigner dans la piscine comme n'importe quel ado, sans son scaphandre et sans les sempiternels avertissements d'une mère castratrice ?

Cette fois, ce fut au tour d'Helen d'encaisser le choc de ces mots.

– J'habite ici, ne vous en déplaise, renchérit-il. Et depuis bien plus longtemps que vous puisque j'y ai passé une grande partie de ma vie. Donc *effectivement*, il peut arriver que je croise mon petit-fils ou les personnes vivant en ce lieu sans que cela soit un acte odieusement prémédité et épouvantablement lourd de conséquences.

Cette mise au point plutôt abrupte laissa place à un silence électrique. Jamais Susan n'aurait cru Alfred capable d'être aussi cassant. C'était pire que ce qu'elle avait imaginé. Elle regarda Eliot, en appui contre les étagères, pétrifié. Ces mauvais rapports entre sa mère et son grand-père devaient tant l'affecter.

Ils ont tout pour être heureux et ils font tout pour se rendre malheureux. Quel gâchis.

Elle multiplia ses prières pour qu'Helen n'ait pas la mauvaise idée de fouiller la maison. Si elle tombait sur le corps inanimé d'Eliot reposant juste à côté... Non. Ça ne devait pas arriver.

D'autres pensées tourbillonnaient dans son esprit, plus personnelles mais tout aussi graves. Elle avait feint de ne pas connaître Alfred. Une femme de principes telle qu'Helen lui pardonnerait-elle d'avoir menti ?

Moi aussi, j'avais tout pour être heureuse et j'ai tout gâché.

Elle grimaça, battit des paupières. L'envie de pleurer, de crier, de s'enfuir en courant faisait pulser son sang avec violence à l'intérieur de ses veines. Comme si souvent par le passé, elle glissa une main sous la manche de sa marinière, jusqu'à l'avant-bras, et pinça la peau fine, la tordit, la meurtrit. Pourtant, elle savait bien que rien ne parviendrait à faire dévier le cheminement de ses pensées vers la douleur qu'elle s'infligeait.

Ça ne marchait pas. Ça ne marchait jamais.

Elle sentit le regard d'Eliot qui cherchait à attirer le sien. La détresse du garçon était communicative. Que devait-elle faire, elle, la source de toutes ces catastrophes ? Que *pouvait*-elle faire ?

– Inutile de vous demander de leur dire de rentrer si vous les voyez, assena Helen.

– Effectivement, c'est inutile, très chère, répondit Alfred. Je l'aurais fait sans votre... recommandation.

La masse brouillonne de ses cheveux blancs tremblotait sous la lumière du lustre poussiéreux. Ses mains aussi. Helen lui jeta un dernier regard dans lequel le vieil homme saisit les bribes d'une forme de chagrin, enfoui sous les montagnes de raideur habituelles. La main sur la poignée de la porte, il sembla sur le point d'ajouter quelque chose. Mais Helen franchit le palier d'un pas ferme avant qu'il n'ait pu dire quoi que ce soit.

Alfred resta planté au milieu de la pièce pendant quelques secondes. Puis il entrecroisa les doigts et tendit les bras en avant. Les jointures émirent un craquement, affreusement sonore dans ce silence revenu.

– Mes jeunes amis ? lança-t-il.

Georgette fut la première à répondre en bougeant la queue.

– Vous pouvez sortir de votre cachette.

Susan et Eliot apparurent, penauds et inquiets. Alfred se frotta les mains, les fourra dans les poches distendues de son gilet, les ressortit et battit l'air, comme s'il ne savait quoi en faire.

– Non de non ! jura-t-il.

– On est mal, là, lâcha Eliot. Très mal.

Alfred inspira bruyamment, tandis que Susan ne savait où se mettre.

– Il y a quand même une bonne nouvelle dans toute cette histoire ! fit le vieil original, l'œil à nouveau brillant.

– Ah bon ? s'étonna Eliot.

Ah bon ? répéta Susan dans sa tête.

– Mme Parfaite n'a pas vu que c'était ton corps que je portais, mon petit cosmonaute !

Les deux amis le regardèrent d'un air stupéfait. Alfred avait raison, c'était une bonne nouvelle. Mais toutefois pas au point de se réjouir.

– Espérons juste que ma mère ne reçoive pas d'autres photos plus explicites, tempéra Eliot.

Espérons juste que Daniel et Morris disparaissent en enfer, pensa Susan. *Vite !*

6.

En apercevant la silhouette d'Helen en train de ranger le salon, Susan se prépara mentalement à recevoir les foudres glaciales de sa colère. Eliot ne serait pas épargné non plus. Mais lui, il serait pardonné. L'avantage d'être le *vrai* enfant de quelqu'un, c'était ça : on était toujours pardonné. Ça faisait ça, le même sang, la chair de sa chair, et tout le reste.

Moi, je ne suis que la chair d'un démon qui a juré ma mort. La fille du diable.

Elle ne s'était pas rendu compte qu'elle se trouvait là, immobile devant la porte ouverte, dans le champ de vision d'Helen. Quand cette dernière leva la tête et l'aperçut, Susan se figea. Petit animal des bois emprisonné dans le faisceau des phares d'une voiture. Elle eut l'impression que tout rétrécissait en elle, comme aspiré de l'intérieur. Elle allait mourir, c'était sûr. Elle succomberait comme ça, instantanément, dès que tout aurait été avalé par son immense détresse.

Mais rien de tout cela n'arriva. Une vague de chaleur l'envahit soudain, se répandit là où le sang semblait s'être arrêté de circuler. Non. Plus que la chaleur, mieux que la chaleur, c'était une irrésistible douceur qui se dilatait pour l'envelopper. Elle irradiait, en elle et autour d'elle.

Légère et pourtant puissante.

Les regards de la jeune fille et d'Helen se croisèrent, s'accrochèrent. Se fixèrent l'un à l'autre. L'un dans l'autre.

Combien de temps dura ce face-à-face ? Quelques secondes, sans doute, étirées vers les profondeurs de l'âme de Susan et de celle d'Helen.

Susan, si menue dans sa marinière et son joli jean neuf. Jeune fille meurtrie par tant de cahots, de dureté, de tragédies.

Helen, si austère dans son chemisier blanc et sa jupe droite. Grande bourgeoise étouffée par son éducation et la terreur de perdre son enfant.

Depuis la première marche de l'escalier, Eliot observait la scène sans oser intervenir. Le reflet de sa mère lui apparaissait dans le grand miroir fixé au mur. Comme Susan, il attendait que les mots sortent. Il les devinait déjà acerbes, réprobateurs.

– Les enfants ? interpella Helen.

Voilà... Le couperet va tomber. Après ça, je n'aurai plus qu'à faire mes bagages et à retourner au Home... se désespéra Susan.

— Vous viendrez m'aider à préparer le déjeuner dans un petit moment, poursuivit Helen. Nous ferons un plateau pour Mme Pym, la malheureuse va devoir prendre des forces pour affronter les prochains jours...

Son ton était parfaitement naturel. Dans la mesure où il était aussi austère que d'habitude.

— Est-ce que vous m'avez entendue ?

Son austérité s'était muée en une irritation habilement contenue – bonnes manières obligent.

— Oui, on viendra t'aider, répondit mécaniquement Eliot.

— Bien. Maintenant, je vais essayer de venir à bout de cette montagne de paperasse. Vous deux, tâchez de vous occuper, d'accord ?

Susan jeta un coup d'œil perdu au garçon. Quoi ? C'était tout ? Pas d'interrogatoire sur le pourquoi et le comment de leur présence auprès d'Alfred au petit matin ? Pas la moindre allusion à la photo ? La jeune fille n'y comprenait plus rien. Déconcertée, elle resta là, au milieu du hall, la bouche entrouverte.

D'un petit mouvement de tête, Eliot lui fit signe de venir. Elle finit par bouger. Son corps lui sembla épuisé, comme courbatu par l'angoisse, puis le soulagement. Elle suivit Eliot d'un pas lourd et mécanique.

* * *

Assis à même le sol de la salle de jeux, adossés au mur, les deux amis gardèrent le silence un long moment avant qu'Eliot ne lâche ce commentaire :

— On s'en sort bien sur ce coup.

— Ça ne pourra pas toujours être le cas, souffla Susan.

Les traits du visage d'Eliot parurent se brouiller. Sa vie était si fragile. À quoi tenait-elle, d'ailleurs ? À l'infime supériorité des bons esprits maternels sur les mauvais, ceux de Daniel et des vassaux de Meredith O'More ?

— On va y arriver, fit Eliot. On sera plus forts qu'eux.

Il posa sa main sur celle de Susan. Un effleurement délicat, une pression légère. Le premier réflexe de la jeune fille fut de se retirer – de tous ses sens, le toucher lui était le plus étranger. Pourtant, elle se laissa faire. Le contact avec la tiédeur moite de la peau du garçon ne lui procurait aucun réconfort. Au contraire, elle se sentait mal à l'aise. Toutefois, lorsque sur l'initiative d'Eliot leurs doigts s'entrelacèrent, elle se surprit à éprouver quelque chose de différent : une réelle émotion.

Puis Eliot pencha lentement la tête, jusqu'à la laisser reposer sur l'épaule de Susan. Geste déconcertant qui la rendit encore plus muette et encore plus immobile. D'après ce qu'elle en savait, c'étaient plutôt les filles qui posaient leur tête sur l'épaule des garçons. Les cheveux d'Eliot, caressant son cou, lui procuraient une drôle de sensation. Quelque chose de doucement électrisant. Elle n'osait plus bouger, à peine respirer. Eliot semblait avoir tant besoin de cette proximité.

Au bout d'un moment, elle s'inquiéta de l'inertie du garçon. De sa tête, trop légère. De son souffle, imperceptible. De son état d'humain bloqué entre la vie et la mort. S'était-il assoupi ? Reprenait-il des forces avant d'affronter les épreuves que représentait chaque acte ordinaire du quotidien ? Tiendrait-il bon ? Le regard de la jeune fille se dirigea vers les poignets du garçon. Difficile d'imaginer qu'il ne devait à la fois sa survie et son existence qu'à ces bandes de tissu bleu.

Il serra sa main. Le cœur de Susan s'emballa, elle en fut terriblement gênée. Pourvu qu'Eliot ne s'en aperçoive pas. Il était si gentil, si tendre. Si injustement frappé par toute cette histoire.

— À quoi penses-tu ? demanda-t-elle pour dévier le cours de ses propres pensées.

— À mon père. Je ne sais pas comment je réagirais s'il devenait comme le tien…

— Pourquoi est-il si souvent à l'étranger ? esquiva encore Susan.

— Il achète des antiquités, surtout en Asie, pour les revendre à des collectionneurs ou à des décorateurs d'intérieur. C'est sa passion.

— Il te manque ?

— Oui.

Susan perçut toute la tristesse qu'il ressentait. Elle la voyait presque, comme s'il était transparent et que sa peine se diffusait à fleur de peau telle une ombre intérieure. Elle éprouva une sorte d'impudeur à regarder ce qu'il ne voulait pas forcément que l'on découvre.

— Il est peut-être temps qu'on descende, non ? fit-elle.

Au moment même où elle prononçait ces mots, elle s'en voulut.

C'est tout ce que t'as trouvé comme marque de sympathie ? se rabroua-t-elle. *N'oublie pas à qui tu dois ta présence ici !*

Elle aurait voulu revenir en arrière. Mais Eliot se redressait déjà, pâle et résigné.

Et Susan eut aussitôt l'impression qu'elle venait de salir la seule belle chose qui existait dans sa vie. Était-elle donc incapable de montrer ce qu'elle ressentait ? D'exprimer d'une façon ou d'une autre ses sentiments ? Ne pouvait-elle pas, au moins une fois, faire preuve d'un peu de spontanéité ? Dresser des plans, calculer, manipuler… C'était fini, tout ça. Sans renier ce qu'elle avait été, elle voulait changer, devenir une meilleure Susan, celle qu'elle avait refoulée pendant si longtemps. Mais, en réagissant comme elle venait de le faire, elle en était à des années-lumière. Et son cœur le lui faisait payer.

7.

Susan et Eliot n'avaient jamais perdu de vue que le répit ne durerait pas. Mais ils ne s'étaient pas attendus à ce que leur éprouvante réalité les heurte de plein fouet dès lors qu'ils franchiraient le seuil de la cuisine.

Ils se figèrent, horrifiés, en voyant un couteau suspendu à quelques centimètres d'Helen, la pointe dirigée droit sur son dos. Affairée devant le plan de travail, elle ne se rendait compte de rien. À part de l'arrivée des deux ados.

— Ah ! Vous voilà ! s'exclama-t-elle.

Le temps qu'elle se retourne, le couteau se retrouva dans la main de Susan ! Les yeux écarquillés, la jeune fille regarda tour à tour la lame qui brillait et Helen qui la dévisageait.

— Susan ? fit cette dernière d'une voix mal assurée.

De quoi je dois avoir l'air avec ce truc dans la main ? s'affola Susan. *D'une psychopathe ? Et comment c'est arrivé, d'abord ?*

La réponse était claire. « Nous allons tous faire de ta vie un enfer ! » lui avait promis Morris.

— Je vais couper le pain, dit-elle.

Elle espérait de toutes ses forces être convaincante dans le rôle de la jeune fille qui veut se rendre utile. D'un pas étonnamment assuré, elle s'approcha de la table et commença à trancher la grosse couronne dorée. S'il y avait un doute sur ses intentions, il fut aussitôt balayé.

— Bien… approuva Helen. Eliot, tu veux bien sortir le jambon et le fromage, s'il te plaît ? Il faudrait préparer un petit en-cas pour Mme Pym.

Le garçon obtempéra, non sans mal. De nombreux gestes lui étant impossibles, Susan s'en chargea, rapide et précise.

— C'était quoi, ce bazar ? murmura-t-il en montrant le couteau.

— À ton avis ? répliqua Susan.

Une fois de plus, elle aurait voulu revenir une ou deux secondes en arrière et s'empêcher d'être aussi brutale.

— T'as raison, c'est débile comme question, fit Eliot.

— Susan, apporte-moi un bol, veux-tu ? lança Helen, le dos toujours tourné.

Une louche à la main, elle remuait le potage qui frémissait à petits bouillons sur la gazinière. Susan choisit un bol dans le vaisselier, un joli avec de petites fleurs bleues, et s'avança. Fière qu'on lui demande des choses, qu'on lui confie des tâches, des missions, des responsabilités.

Pourtant, elle ne put s'empêcher de tempérer son enthousiasme. Question d'habitude.

C'est bon, pas de quoi s'emballer, ce n'est qu'un bol de soupe.

Helen remplit une pleine louche et l'approcha avec précaution du récipient que Susan venait de poser sur le plan de travail, juste à côté de la casserole.

C'est alors que tout alla de travers.

La louche tomba sur le sol dans un claquement métallique, tandis qu'Helen poussait un cri de douleur.

— M'man ! Ça va ? s'alarma Eliot en se précipitant vers elle.

Helen ne répondit pas et s'empressa d'ouvrir le robinet de l'évier pour passer sa main sous l'eau froide. Sa peau était aussi écarlate que son visage était pâle. Elle jeta un coup d'œil à Susan, avec l'air évident de lui dire : *Mais pourquoi as-tu fait ça ?* Pour sa part, Susan ne pouvait s'empêcher d'ajouter mentalement ce qu'Helen devait penser : *On m'avait prévenue que tu avais des troubles du comportement...*

Comment lui expliquer qu'elle n'y était pour rien ? Que ce n'était pas elle qui avait voulu ce geste brutal ? Que c'était son père, ce démon, le responsable ?

Eliot, lui, le savait bien. Il n'y avait qu'à voir son regard consterné.

Mais Eliot n'était pas Helen.

— Je suis désolée, je ne l'ai pas fait exprès... bredouilla la jeune fille.

Que pouvait-elle dire d'autre ? Elle s'était elle-même vue lancer le bras en avant et attraper gauchement la louche. Visage fermé, Helen ne dit rien et continua de passer sa main sous le filet d'eau froide.

Marie, Jésus, Dieu, faites qu'elle ne me laisse pas comme ça ! Faites qu'elle dise quelque chose ! supplia Susan.

— Je m'en doute, Susan, finit par lâcher Helen.

Le ton de sa voix, calme mais froid, le parfum chaud et persistant des légumes, le choc de ce qui venait de se passer, la frustration de ne pouvoir dire la vérité... tout se mit à former un tourbillon au creux du ventre de Susan.

Elle s'effondra.

* * *

Les larmes débordaient de ses yeux clos. Elle les sentait couler le long de ses joues, glisser vers ses tempes, son cou.

Une main fraîche pressa la sienne, une autre se posa sur son front. À travers le bourdonnement dans ses oreilles, elle percevait l'agitation autour d'elle. On bougeait, on parlait.

Des mots lui parvinrent bientôt.

— Susan ? Est-ce que tu m'entends ?

La voix d'Helen, ses intonations tendues, franchement inquiètes, lui donnèrent encore plus envie de pleurer. Et lorsqu'elle vit le visage d'Helen, Susan se rendit compte qu'elle avait les yeux ouverts.

Penchée au-dessus d'elle, Helen la regardait fixement. Elle passa à nouveau la main sur son front.

— Dieu merci... murmura-t-elle.

Susan battit des paupières et tenta de se relever. Helen l'en empêcha.

Puis, se tournant vers son fils :

— Il faudrait appeler le médecin. Demande-lui de venir rapidement, veux-tu ?

Susan eut le temps de comprendre que le garçon cherchait à attirer son attention. Lorsque leurs regards se croisèrent enfin, il tapota discrètement son œil droit.

La flamme. Le feu vivant au fond d'elle luisait certainement de son éclat si singulier. Personne ne devait le voir, surtout pas Helen. Une pupille enflammée... Comment pourrait-elle ne pas s'inquiéter ?

— Non ! fit la jeune fille dans un râle. Pas la peine de faire venir le médecin.

Elle se redressa sur les coudes.

— Je vais bien. Ce n'est rien.

En quelques secondes, elle fut sur ses pieds. Ses jambes flageolaient, sa tête tournait encore un peu, lourde, comme remplie de ciment. Elle dut lutter pour qu'Helen ne s'aperçoive de rien. Cette dernière l'observait d'un air si étrange, perdu.

— Assieds-toi un instant, ordonna-t-elle en tirant une chaise.

Si Helen s'avérait troublée, Susan, elle, était tiraillée par des pensées contradictoires. Son attitude s'en ressentait : elle s'empêchait de regarder Helen bien qu'elle en ait grande envie, elle devait paraître forte tandis qu'elle était si vulnérable, si fragilisée.

Elle voulait être une gentille fille et elle véhiculait tellement de mauvaises choses.

Helen voit bien que ça cloche chez moi, alors pourquoi est-elle si attentionnée ?

— Mes pauvres enfants... murmura Helen.

Susan sentit son cœur se serrer. De joie et de tristesse. *Mes pauvres enfants...* Tout serait tellement parfait sans ce qualificatif.

— Je suis désolée que vous ayez assisté à ce drame...

Et moi, je suis désolée d'être la cause de tout cela, répliqua Susan en silence.

— On n'est plus des enfants, intervint Eliot.

Pour la première fois depuis qu'elle le connaissait, Susan le regarda avec dureté. Instinctivement, elle toucha un de ses coudes. Chercha du bout des doigts la croix de coton rouge brodée sur sa marinière. Son repère au milieu du chaos.

Être un enfant, qui plus est l'enfant de quelqu'un comme Helen, elle en rêvait depuis toujours. C'était même le seul but de son existence.

Mais pour ça, il va falloir que tout le monde reste en vie…

8.

Quatre jours étaient passés depuis la visite du duo Daniel-Morris et les terribles événements qui lui avaient succédé.

Quatre jours sous l'emprise de la tension nerveuse et de l'épuisement mental.

Susan dormait toujours aussi mal, hantée par la terreur de se retrouver projetée dans ses cauchemars, auprès de ses ancêtres – les bons esprits comme les âmes mauvaises. Pourtant, désormais enfermés en elle ou libérés de leur prison, ils n'avaient plus de raison de l'attirer au cœur de ce cimetière où ils se trouvaient tous enterrés. Elle y avait passé de terribles nuits, en compagnie d'Eliot, d'Alfred et de Georgette. Ensemble, ils avaient découvert tant de secrets, celui de ses origines, de la folie de Meredith O'More et de la malédiction frappant les Rosebury depuis plus de trois siècles.

C'était terminé. Le cimetière de ses cauchemars s'était refermé. Mais ses nuits n'en avaient pas pour autant retrouvé leur sérénité.

Étrangement, le fait qu'il ne se passe rien alourdissait encore davantage l'atmosphère. À chaque instant du jour et de la nuit, il pouvait arriver quelque chose. Et pas une minute ne s'écoulait sans que Susan et Eliot l'oublient. Daniel, Morris, leurs semblables frapperaient à nouveau. C'était une certitude. Quand ? Comment ? Qui ? Ces questions taraudaient sans relâche les deux ados. Oisifs et tourmentés, ils s'occupaient donc comme ils le pouvaient, sous le regard vigilant d'Helen.

Dans cette région où la vie s'écoulait si paisiblement, la nouvelle de la mort de M. Pym avait été parasitée par une autre tragédie : l'accident de bus qui avait entraîné la mort de onze personnes, toutes natives de Thornshill et des alentours.

— Tu ne trouves pas que c'est une drôle de coïncidence ?

Assis en tailleur sur le tapis du salon, son ordinateur portable sur les cuisses, Eliot épluchait les informations.

— Onze personnes décédées en même temps…

Susan leva les yeux de la bande dessinée qui, de toute façon, ne parvenait pas à capter son attention.

— Tu penses la même chose que moi ?

Susan opina de la tête et se ratatina sur le canapé, son petit visage assombri.

— Daniel n'est pas le seul à être redevenu plus vivant que mort, raisonna Eliot à voix haute. En tout, ils sont douze. Morris, Daniel et les dix vassales de Meredith O'More vivent dans le coin, pas loin de nous, prêts à lancer l'offensive !

Cette déduction était logique. Et terrible.

— On ne va pas y arriver, fit Susan.

Eliot referma son ordinateur d'un geste brusque.

— Tu n'as pas le droit de dire ça !

Susan frémit. Elle n'avait pas eu l'impression de prononcer ces mots à voix haute. Face à Eliot, elle s'en voulut, au point de se sentir misérable. Il avait raison. Si quelqu'un pouvait se permettre d'être découragé, c'était lui. Pas elle.

Ce qu'elle voulait plus que tout au monde, c'était qu'Eliot vive. Si elle capitulait ou qu'elle échouait, le garçon mourrait.

Elle avait déjà fait une bonne partie du chemin. Alors, elle devait s'accrocher, coûte que coûte.

Le regard à nouveau vif et déterminé, elle regarda Eliot et ce fut au tour du garçon de frémir.

— L'enterrement a lieu cet après-midi, dit-il sans la quitter des yeux.

— Tu crois que Daniel et les autres seront là ?

— Ça ne m'étonnerait pas, on dit souvent que les assassins aiment revenir sur le lieu de leur crime. Si on arrivait à en identifier quelques-uns, on pourrait mieux anticiper.

— Et les tuer avec la dague de lord Rosebury que ma mère m'a donnée.

Eliot en resta bouche bée.

— Est-ce que j'ai bien entendu ce que tu viens de dire ? murmura-t-il.

Elle eut ce petit rictus indéfinissable qui creusait ses joues et le faisait craquer.

— C'est le seul moyen d'en finir avec toute cette horreur, non ? fit-elle.

* * *

Quand Eliot demanda à sa mère la permission d'aller à la bibliothèque municipale, cette dernière hésita. Elle n'aimait pas savoir son fils dehors.

— Dis plutôt que tu n'aimes pas me savoir ailleurs qu'ici, hors de ton contrôle, fit Eliot.

Il s'exprimait sur un ton en totale opposition avec la brusquerie de ses mots. Susan en était terriblement mal à l'aise. Cette discussion commençait de la même façon que celle qu'avaient eue Helen et Alfred quelques jours plus tôt. Pas forcément le meilleur moyen pour obtenir le consentement maternel. D'ailleurs, vu le regard réprobateur que reçut Eliot, l'affaire semblait mal engagée.

— Pourquoi voulez-vous aller à la bibliothèque, d'abord ?

— Pour y faire la même chose que tous ceux qui vont dans une bibliothèque : chercher des bouquins ! répondit Eliot.

Toujours ce ton calme et implacable, sans aucun doute hérité de sa mère.

— On s'ennuie comme des rats crevés, ajouta-t-il comme une sentence.

— La rentrée est dans dix jours...

Contre toute attente, Helen semblait s'excuser. Si elle en avait eu l'audace, Susan se serait engouffrée dans cette brèche.

Eliot s'en chargea pour eux deux.

— C'est juste un petit moment à la bibliothèque, maman, pas un trek dans les lochs.

Cette précision fit sourire intérieurement Susan.

— D'accord, finit-elle par concéder. Je vous emmènerai.

— Pas la peine ! On peut y aller à vélo !

— Non, de toute façon, j'avais prévu de me rendre à l'enterrement de ces malheureux qui ont péri dans l'accident de bus. Trois d'entre eux faisaient partie du club de lecture...

Susan regarda furtivement Eliot.

Mince alors ! C'est foutu !

Mais le garçon ne donnait pas l'impression d'être contrarié par cette nouvelle. Helen consulta sa montre et les regarda tous les deux, très « grande dame ».

— Nous partirons après le déjeuner, annonça-t-elle. D'ici là, tentez de maîtriser votre ennui...

Lady pince-sans-rire.

9.

Susan et Eliot passèrent à peine dix minutes à la bibliothèque. Ils en ressortirent chacun avec un sac de livres, choisis à la va-vite. Helen n'avait pas besoin de preuves, mais mieux valait assurer ses arrières.

L'église se trouvait non loin, au centre du gros bourg de Thornshill. Trop petite, elle ne pouvait accueillir tous ceux qui voulaient assister à la cérémonie funèbre. Aussi plusieurs dizaines de personnes se massaient-elles sur le parvis, devant les portes restées grandes ouvertes.

Avec ses murets de pierres grises et ses chênes aux branches tordues, le cimetière, accolé à l'édifice, offrait de multiples cachettes. Toutefois, c'est derrière un caveau près de l'entrée que Susan et Eliot choisirent d'entamer leur surveillance.

Des hommes portant les premiers cercueils apparurent, alors que le tocsin se mettait en branle. Ils passèrent devant le caveau abritant les deux amis, seulement à deux ou trois mètres d'eux. Tête baissée, visage grave, les familles, les proches et tous les anonymes voulant exprimer leur solidarité les suivaient d'un pas lent.

Susan et Eliot ressentirent le même pincement en apercevant Helen. Daniel Hamilton – ou plutôt Daniel Prescott – marchait à ses côtés.

— Il ne manquerait plus qu'il lui tienne le bras ! grommela Eliot.

Susan ne renchérit pas, bien qu'elle soit tout aussi contrariée.

— Et voilà Morris, évidemment... poursuivit le garçon.

Le pseudo-frère de Daniel se tenait près d'une femme au regard étrangement perçant.

— Combien tu paries qu'on l'a déjà rencontrée dans un autre cimetière ?

Susan acquiesça. Daniel, Morris et cette femme faisaient partie d'elle-même. Ils étaient ses ancêtres, elle leur devait son existence. Et maintenant, il fallait qu'elle les élimine si elle voulait continuer de vivre.

Elle se sentit plus décalée que jamais. Hors normalité, à des années-lumière de ce qu'une jeune fille de quatorze ans était censée être. Cette évocation lui fit froncer les sourcils et donna à son regard vairon un éclat tourmenté.

Soudain, Eliot lui saisit le bras. Tirée de ses pensées, elle se plaqua contre la pierre froide.

— Regarde sur la droite, vers la pierre tombale couverte de mousse, chuchota le garçon.

Susan se pencha prudemment et repéra très vite ce qu'Eliot voulait qu'elle voie : deux femmes droites comme un I, les bras le long du corps, vêtues de tailleurs gris, l'une coiffée d'un béret, l'autre d'un vilain chapeau cloche. Leur posture, tête baissée et visage farouche, leur donnait l'air de sœurs psychopathes à l'affût de leur prochaine victime. Elles regardaient dans leur direction.

— Alors elles, on ne peut pas dire qu'elles fassent beaucoup d'efforts pour cacher leurs intentions ! commenta Eliot.

— Je crois que celle de gauche est Jane Sharpe, murmura Susan sans même s'en rendre compte.

Elle se souvenait encore de l'article et de la photo du colonel Edmund Rosebury, mort un 12 décembre avec son épouse, Jane. Comme tous les Rosebury, leurs maris ou leurs femmes, depuis plus de trois cents ans, jusqu'à Emma, la mère de Susan.

— Elles ont remarqué notre présence, souffla Eliot.

Susan sentit un voile glacé tomber sur elle. Jane Sharpe et sa compagne observaient attentivement le caveau, comme si elles pouvaient transpercer la pierre de leurs yeux morts, et pourtant si incisifs.

Daniel restait collé à Helen. Susan et Eliot le virent lui glisser quelques mots, elle acquiesça d'un air entendu.

— Il faut absolument qu'on recense tous ces…

Eliot laissa sa phrase en suspens.

— … démons ? l'aida Susan.

Le garçon sortit son téléphone portable et commença à photographier celles qu'ils avaient déjà identifiées.

— Par là, regarde ! Qu'est-ce que tu en penses ? fit Susan.

Il pivota pour observer les trois femmes que lui montrait Susan, deux blondes et une brune, la trentaine, jolies, serrées les unes contre les autres. La coupe ajustée de leur veste et leurs bottes cavalières n'étaient pas leur seul point commun : elles affichaient la même expression que Daniel, Morris et les autres femmes, cette fixité dérangeante dans les traits, tranchant avec la puissance de leur regard de feu.

— Je pense qu'on peut ajouter trois nouveaux membres à notre liste, répondit Eliot en les mitraillant de son portable. Ça nous en fait cinq, en plus de Daniel et Morris.

— Ce serait génial si on pouvait savoir où elles habitent et ce qu'elles font. Ça nous donnerait une longueur d'avance.

La réaction d'Eliot fut telle que Susan réussit à la capter en dépit de sa cagoule et de ses grosses lunettes de ski.

— Tu sais que t'es brillante, toi ! s'exclama-t-il.

Son téléphone toujours à la main, il scruta le cimetière.

— Viens.

Susan le suivit jusqu'à une petite guérite ressemblant aux autres caveaux. Un homme, si vieux qu'il ne devait plus avoir d'âge, était assis à l'intérieur devant un minuscule bureau encombré de piles de feuilles volantes.

— Bonjour, monsieur Gregor !

Le gardien leva la tête et ne manifesta aucune surprise en voyant le petit cosmonaute et la jolie blondinette qui lui faisaient face.

— Bonjour, jeune Hopper !

— Vous allez bien ? renchérit Eliot.

— Fort bien, fort bien. Tu ne me présentes pas ton amie ?

— Si, bien sûr. Susan, monsieur Gregor...

— Bonjour, fit Susan avec un sourire spécial « ange tombé du ciel ».

— Susan vit désormais avec nous au manoir, précisa le garçon.

Le vieil homme la dévisagea avec une insistance embarrassante avant de s'adresser à nouveau à Eliot.

— Comment va ton grand-père ?

— Il est en pleine forme, comme vous !

M. Gregor laissa filtrer un sourire sous ses énormes moustaches poivre et sel.

— Monsieur Gregor et Alfred sont tous les deux allés à l'école, ici à Thornshill, puis ils ont fait la guerre, expliqua Eliot à Susan.

Le regard de M. Gregor se perdit un instant dans le vide avant de revenir sur le garçon. Ce qui renforça l'impression de Susan de n'exister que par l'intermédiaire de son ami. Devenir et être Susan Hopper aux yeux des autres demanderait des efforts et du temps. Mais peu importait. Si cet homme pouvait leur être utile...

– Monsieur Gregor, vous qui savez tout sur tout le monde, je me demandais si vous pourriez nous aider, enchaîna Eliot.

– Je t'écoute...

10.

L'attention de Susan redoubla alors qu'Eliot, très à l'aise, mentait sans complexe.

— On voudrait préparer un petit reportage pour le journal du collège, à propos de la tragédie du bus. Une sorte d'hommage à ces gens de la région qui partaient en excursion...

Il n'en fallut pas plus à M. Gregor pour se lancer dans les détails de la vie de chaque personne défunte. État civil, anecdotes, filiation... le vieil homme savait effectivement beaucoup de choses. Sinon tout.

— Là-bas, tu vois, c'est Clarence, le troisième fils de William Stone, le boulanger. Il avait soixante-douze ans, quelle misère de partir comme ça.

Eliot sauta sur l'occasion.

— Et la femme à côté de lui ? C'est sa petite-fille ?

M. Gregor ajusta ses lunettes au bout de son nez et plissa les lèvres.

— Non, non. Clarence n'a pas d'enfants. C'est une romancière, à ce qu'il paraît. Elle vient d'arriver en ville, elle loge au Bed & Breakfast de miss Violet. L'homme qui est avec elle, en revanche, jamais vu. Peut-être son mari. Oh, grands dieux, il est bien trop jeune, ce serait plutôt son fils… soliloqua M. Gregor.

Non. Son arrière-arrière-arrière-arrière-grand-père, et sûrement plus encore. Morris Hamilton, anciennement Rosebury, faillit répondre Susan.

M. Gregor poursuivit son descriptif. Eliot écoutait poliment, tandis que Susan décrochait complètement. Ce qui ne l'empêcha pas de revenir sur terre dès lors que la conversation s'orienta sur les trois femmes en veste et en bottes.

— Je me demande si ce ne sont pas elles qui vont reprendre l'école d'équitation, l'épicière m'en a parlé ce matin encore, commenta M. Gregor.

Il les observa pendant quelques secondes avant de lâcher en claquant la langue :

— Rien à dire, elles ont du style ! De véritables amazones !

Puis il reprit son laïus sur les victimes jusqu'à ce qu'Eliot sonne l'heure du départ, non sans remercier chaleureusement le vieux gardien.

Les deux amis reprirent leur place et leur observation derrière le caveau de l'entrée. À l'intérieur du cimetière, les gens finissaient d'adresser leurs condoléances aux familles et s'acheminaient vers la sortie.

Morris s'avança parmi les grappes humaines, le front haut, un soupçon d'ironie au coin des lèvres. La supposée romancière marchait à ses côtés, comme soumise et fière de l'être.

Susan vit rouge et sortit les griffes de son petit animal intérieur.

C'est ça, roulez des mécaniques pendant que vous le pouvez encore ! Ça ne va pas durer très longtemps, moi je vous le dis… les menaça-t-elle en son for intérieur.

Morris l'entendit-il ? Quoi qu'il en soit, il lui suffit de fixer la statue brandissant une lance au-dessus du caveau pour que celle-ci s'abatte aux pieds de Susan et d'Eliot dans un fracas de pierre.

Tous les regards se dirigèrent vers le cosmonaute et la petite blonde.

Tous.

Y compris – et surtout – celui d'Helen, courroucé.

* * *

Essoufflé, M. Gregor se fraya un chemin à travers les personnes massées devant la statue brisée.

— Seigneur ! Vous n'avez rien ? s'écria-t-il en avisant Susan et Eliot.

Figés par le choc et par la muette réprobation d'Helen, ils firent non de la tête. M. Gregor leva les yeux vers le sommet du caveau, là où, quelques instants plus tôt, l'ange de pierre se dressait encore. Puis il les baissa vers les blocs épars.

– Comment diable cette fichue statue a-t-elle pu se décrocher ? marmonna-t-il, la mine décomposée. Ça aurait pu vous tuer...

Susan et Eliot évitèrent de regarder Morris. Deviner son sourire mauvais leur suffisait. Dans la rumeur des chuchotis émus des gens autour d'eux, ils ne s'empêchèrent cependant pas d'échanger quelques mots.

– Si ce démon croit qu'il nous a intimidés... fit Eliot.

– ... il se met le doigt dans l'œil jusqu'au coude ! enchaîna Susan.

Ce n'était pas la première fois que leurs pensées convergeaient et que l'un terminait la phrase de l'autre. Ils faillirent en sourire. Mais ils n'auraient pu choisir pire lieu et pire moment.

Dressée devant eux, Helen les écrasait de toute sa sévérité. Elle parut beaucoup plus grande à Susan.

– Bien, il est temps d'y aller, dit-elle sèchement.

Les gens s'écartèrent pour laisser passer le trio. Un courant d'air glacé saisit les deux ados lorsqu'ils passèrent à proximité de Daniel.

– À très bientôt, Helen... fit ce dernier.

Son ton, doucereux, déplut fortement à Susan. Et encore davantage à Eliot. En guise de réponse, Helen se borna à un signe de tête qui laissait libre cours à l'interprétation la plus optimiste comme à la plus épouvantable.

Ils parcoururent la courte distance qui les séparait de la voiture dans un silence insupportable. Helen marchait d'un pas trop rapide pour être naturel, les lèvres scellées, Susan et Eliot à deux ou trois pas derrière elle.

Elle attendit d'être installée à l'intérieur avant d'assener d'une voix froide :

— Vous étiez censés être à la bibliothèque. Quand je vous dis quelque chose, j'apprécierais infiniment que vous obéissiez.

Elle gardait les mains serrées sur le volant et le regard braqué sur un point fixe devant elle.

— Puis-je espérer que vous m'avez comprise ? ajouta-t-elle.

— Excuse-nous, m'man, rebondit aussitôt Eliot, assis à ses côtés sur le siège avant. Mme Coe nous a laissés choisir des livres avant de fermer la bibliothèque. Comme tout le monde, elle voulait assister à la cérémonie. Tu l'as sûrement aperçue au cimetière… Alors, on s'est dit qu'on allait venir t'attendre là-bas.

Pas faux et surtout pas mal joué ! se dit Susan.

Les yeux clos, Helen se massa les sinus entre le pouce et l'index. Depuis la banquette arrière, Susan voyait sa nuque, inclinée sur le côté, la naissance de ses cheveux sous la queue-de-cheval, la peau veloutée de sa joue. L'infime palpitation nerveuse près de l'oreille.

Son cœur se serra. Elle voulait tellement que tout se passe bien. Devenir la fille de cette femme. Devenir une Hopper.

Susan Hopper.

Et pour cela, il n'y avait qu'une chose à faire.

11.

Douze. Douze coups de dague dans le cœur de douze de ses ancêtres.

Leur cœur battait-il encore ? Le sang coulait-il toujours dans leurs veines ? Ou bien leur corps n'était-il plus que l'enveloppe morte de leur esprit inhumain ?

Savoir qu'ils étaient morts ne rendait pas l'épreuve plus facile pour Susan. Devant Eliot, elle faisait la dure à cuire. Mais face à elle-même, elle tremblait de terreur. Seul son instinct de survie lui permettait de ne pas renoncer. Quelques souvenirs aussi, les hauts faits de son passé de capitaine des pirates lorsqu'elle était au Home ou dans ces horribles familles d'accueil.

Tu parles... bougonna-t-elle intérieurement. *Des gens aussi doués pour l'accueil que moi pour le tricot !*

Elle avait toujours fait preuve d'une imagination illimitée dès lors qu'il s'était agi de défendre son territoire. Pour preuve, sa dernière manœuvre pour éloigner celles et ceux qui auraient pu lui voler l'attention d'Helen et des Hopper.

La Butte de l'Horreur. Jamais elle n'oublierait l'épouvante dans les yeux des enfants lorsque les premiers os avaient été exhumés en pleine nuit, dans la forêt lugubre. Leur faire croire qu'il s'agissait des dépouilles de ceux que le directeur du Home avait tués... Quelle mise en scène, quand même, quelle méchanceté !

Cette évocation se mêla immanquablement au souvenir de l'abattoir et de la fouille des poubelles répugnantes. Le cœur au bord des lèvres, elle avait récupéré tous ces os d'animaux et tous ces abats. Beurk... Elle en grimaçait encore.

Est-ce que les douze démons puaient autant ? Est-ce que M. Pym allait bientôt puer comme ça ?

— Hé ! Ça va ?

Susan leva précipitamment la tête pour regarder Eliot qui venait de l'interpeller en chuchotant.

— Oui, répondit-elle, hébétée.

Instinctivement, elle effleura la dague, protégée d'un chiffon, qu'elle avait glissée dans la ceinture de son pantalon. Un « accessoire » qui n'avait rien d'ordinaire.

Et des pensées qui n'avaient rien d'ordinaire, non plus.

À cet instant, elle aurait fait n'importe quoi pour s'en débarrasser. Courir à perdre haleine dans la forêt. S'immerger dans les eaux noires du loch. Dormir d'un sommeil lourd et vide. Se pincer jusqu'à ce que les larmes dévalent le long de ses joues.

Mais elle était coincée là, dans la bibliothèque du rez-de-chaussée, en compagnie d'Eliot qui la dévisageait. Helen leur avait ordonné d'attendre que leur professeur particulier arrive. Eliot avait eu beau ronchonner, sa mère n'en avait pas démordu : quelques heures de révisions avant la rentrée ne leur feraient pas de mal, ni à l'un ni à l'autre.

Susan se tourna vers la fenêtre. Helen apparaissait dans le parc, courbée au-dessus d'un massif de rosiers dont elle coupait les plus belles fleurs pour en faire un bouquet.

Dans la bibliothèque, le tic-tac de l'horloge marquait le doux tempo de cet instant. Assis dans un gros fauteuil en cuir, Eliot s'étira et poussa un soupir qui éveilla la curiosité de Georgette. La petite chienne ouvrit les yeux et lui jeta un regard plein d'un amour immodéré, sans toutefois bouger d'autres parties de son corps que sa queue en tire-bouchon.

Une bouffée d'une étrange tendresse envahit Susan. Ce moment dépassait la perfection. Il allait au-delà de ce dont elle avait pu rêver pendant toutes ces années, si seule, si farouche. Malgré la dureté de son quotidien et de ses perspectives d'avenir, le désespoir ne l'avait jamais effleurée. Comme elle avait eu raison d'y croire… encore et encore.

Toujours.

Le crissement des pneus d'une voiture s'engageant dans l'allée interrompit toute pensée. Son panier de roses au bras, Helen s'avançait déjà à la rencontre du professeur. Qui s'avérait être une femme, grande, jeune, rousse.

– En avant pour les travaux forcés... gémit Eliot.

Les voix des deux femmes résonnèrent dans l'entrée. Eliot se leva sans entrain. Susan l'imita, avec l'impression de refléter l'image lisse d'une jeune fille aux manières irréprochables.

– Les enfants ? les interpella Helen. Je vous présente miss Juliet Evers.

Eliot fit quelques pas pour serrer la main de la femme.

– Bonjour. Je suis Eliot.

Bien entendu, Susan répéta exactement les mêmes gestes et la même introduction. Avec toutefois une application moins spontanée que celle d'Eliot.

Quant à Georgette, elle ne semblait pas du tout apprécier la nouvelle venue. Des grondements menaçants roulèrent dans sa gorge, totalement disproportionnés dans cette situation. Eliot et Susan s'entreregardèrent, retenant tous deux une forte envie de rire.

Helen, en revanche, ne trouvait pas ça drôle du tout.

– Eliot, s'il te plaît ! lâcha-t-elle, la mâchoire crispée.

Ces mots suffirent pour qu'Eliot se saisisse de Georgette et tente de la calmer. La chienne ventrue s'agita dans ses bras en poussant d'étonnants cris de loup.

Le petit molosse dans toute sa splendeur ! se dit Susan avec un rire intérieur.

– Miss Evers a été préceptrice dans une très bonne famille anglaise installée à Hong Kong, expliqua Helen. Elle vient d'accepter un poste de professeur d'histoire-géo à Machan's School...

Laissant sa phrase en suspens, elle se tourna vers miss Evers avant de s'exclamer :

– Peut-être aurez-vous Eliot ou Susan en cours !

– C'est possible, je ne sais pas encore, répondit miss Evers.

Le sourire qui accompagnait sa voix posée avait quelque chose de très étonnant. Sans doute à cause de ses lèvres closes s'étirant si largement que son visage tout entier semblait s'articuler autour de cette double ligne horizontale.

Un sourire sans dents... remarqua Susan.

– Bien ! Je vous laisse faire connaissance et vous mettre au travail, fit Helen.

Puis, passant la pièce en revue, elle appela la petite chienne qui fit la sourde oreille.

– Elle ne nous dérangera pas, fit Eliot. Hein Georgette ?

– D'accord, elle peut rester ici, lui accorda Helen. Mais si elle vous distrait, elle file dehors. À tout à l'heure, les enfants.

Sur ce, elle tourna les talons et sortit de la bibliothèque en fermant derrière elle la lourde porte.

* * *

Miss Evers retira soigneusement sa veste et prit place au bout de la table rectangulaire. Puis elle sortit un cahier et un stylo de son sac, contempla tour à tour Eliot et Susan sans se départir de son sourire. Lorsque ses yeux d'un vert étincelant croisèrent le regard vairon de la jeune fille, cette dernière en fut gênée. C'est depuis qu'elle vivait chez les Hopper qu'on la regardait. Qu'on la regardait *vraiment*. Pas comme une sale gosse. Une intruse. Ou une pathétique petite orpheline.

— Vous ne vous asseyez pas ? demanda miss Evers.

Eliot fit une caresse à Georgette, toujours grondante, sur le tapis. Elle aboya en direction de la professeur et s'éloigna en se dandinant nerveusement.

— Votre mère m'a demandé de rafraîchir vos connaissances, surtout en maths et en histoire, précisa miss Evers. Mais pour cela, je dois d'abord évaluer votre niveau.

Elle ouvrit une chemise cartonnée d'où elle tira des feuilles qu'elle tendit aux deux élèves, assis l'un en face de l'autre. Eliot jeta un coup d'œil à Susan avec l'air de dire : *Tu vois, je t'avais dit que ça allait être galère...*

Les questionnaires n'étaient pas aussi difficiles que Susan l'avait craint. Au moins en ce qui concernait les maths. Mais l'attention de miss Evers rivée sur elle la dérangeait. Elle détestait quand on l'observait en train de faire quelque chose. Il lui semblait alors que son cerveau se vidait, qu'elle n'était plus capable de réfléchir normalement – même à un calcul mathématique élémentaire. La professeur dut le comprendre car elle ne tarda pas à se lever.

Pourtant, sentir sa présence derrière elle était pire pour Susan. Elle commença à s'agiter sur sa chaise. Elle avait trop chaud, trop froid. Des gouttes de sueur naissaient dans son cou, sous ses cheveux et coulaient en un filet glacé le long de son dos. Elle frissonna et se concentra du mieux qu'elle le put sur le questionnaire d'histoire. Mais toutes ses tentatives pour retracer la chronologie des souverains britanniques échouèrent. Les mots étalés sur la feuille s'échappaient vers le brouillard qui altérait sa vue et sa réflexion.

De folles impressions s'emparèrent bientôt d'elle.

Il y a un truc qui cloche... truc qui cloche... qui cloche... ne cessait-elle de ressasser.

Son regard glissa vers Eliot. Penché sur sa feuille, il semblait réfléchir. Toutefois, elle lui trouva l'air épuisé, encore plus que d'habitude. Comme si sa tête était trop lourde à porter.

Comme si chaque geste, chaque inspiration lui coûtait un effort monstrueux.

— Ça va ? lui souffla-t-elle.

Il acquiesça dans un mouvement si ténu qu'il en était presque indiscernable. Susan s'en inquiéta. D'instinct, elle se tourna vers miss Evers. Lorsque leurs yeux se croisèrent, l'explication du trouble qu'elle éprouvait lui éclata à la figure.

Elle eut juste le temps de se jeter sur la professeur et de lui planter son stylo en plein milieu du front.

12.

Juliet Evers écarquilla ses grands yeux verts. Des effluves pestilentiels, concentrés par des années d'errance entre la vie et la mort, s'échappèrent à travers ses lèvres entrouvertes. Sa peau commença à noircir autour du stylo alors qu'un râle de colère vibrait à l'intérieur de sa gorge.

Après la stupéfaction, son regard exprimait maintenant toute sa puissance haineuse. Susan s'en sentit transpercée jusqu'au plus profond d'elle-même, au point d'en perdre l'équilibre.

Mais ce n'était rien à côté d'Eliot. Affaissé sur sa chaise, le garçon semblait sur le point de s'évanouir. Ou de basculer du côté de la mort.

Vous voulez emporter Eliot pour me briser en mille morceaux ? C'est ça ?

Cette pensée provoqua un électrochoc chez Susan. Elle se rua sur miss Evers. Toutes deux tombèrent sur le tapis, roulèrent avec rage en tentant de s'entraver mutuellement. Le démon – c'est ce que miss Evers était, en définitive, un esprit démoniaque ayant provisoirement retrouvé son corps – dégageait à la fois cette atroce odeur de mort et une énergie très physique.

— Tu mourras, Susan ! rugit-elle. Personne ne pourra l'empêcher !

Lorsque Susan se retrouva à califourchon sur le buste de Juliet Evers, elle s'empressa de saisir le stylo toujours fiché dans son front et l'enfonça davantage, sans pitié. Juliet agrippa le bras de la jeune fille pour tenter de l'arrêter. Mais ses gestes devenaient plus incertains, moins vigoureux. Elle s'accrochait à la marinière de Susan, enfonçait ses ongles, tirait le tissu sans parvenir à empêcher cette dernière de s'acharner sur la blessure.

Susan profita de cet instant de faiblesse pour arracher violemment l'écharpe que le démon portait autour du cou, attrapa une main, puis la deuxième, et les noua solidement. Juliet Evers se rebiffa si vivement que Susan fut projetée en arrière. Elle retomba sur le dos, dans une position qu'elle savait trop vulnérable. Et pour cause ! Juliet avait bondi et se dressait au-dessus d'elle. Le souffle brûlant de haine, elle ne paraissait même pas remarquer l'écharpe qui commençait à se consumer autour de ses mains.

— Su... san... murmura Eliot.

Susan n'avait pas besoin de le regarder pour comprendre qu'il déclinait. Par sa seule présence, Juliet Evers puisait son énergie dans celle du garçon, déjà si faible. Le cri muet qu'elle poussa plaqua Susan sur le tapis. Être terrassée ainsi par l'odeur immonde dégagée par le corps non mort et non vivant et par le silence de cette bouche béante épouvanta la jeune fille.

Ses sens s'affûtèrent et firent déferler une avalanche de perceptions.

Les grondements de Georgette, réfugiée sous la table.

Le tic-tac de l'horloge.

Le tapotis de la pluie sur les fenêtres.

Les fibres rugueuses du tapis sous la pulpe de ses doigts.

L'émanation délicate du parfum d'Helen.

Du parfum d'Emma, sa mère.

Eliot.

La vie qu'elle voyait s'échapper de lui.

Juliet, l'arrière-arrière-grand-mère de Susan, ne pouvait pas tuer sa descendante. Mais elle pouvait faire pire.

Seigneur Jésus ! Marie mère de Dieu ! Aidez-moi, s'il vous plaît ! implora l'adolescente, écrasée par la puissance du démon.

Ce n'était pas la première fois qu'elle lançait ce genre de supplique en direction du ciel et de ceux qu'elle imaginait régner sur tout être et toute chose.

Et ce n'était pas la première fois que ça fonctionnait.

13.

Susan ne vit pas le bouclier se dresser entre Juliet Evers et elle. Seule gonflait en elle la sensation qu'il naissait au plus profond de son cœur.

Très vite, elle fut libérée de cette épouvantable impression d'écrasement. Elle pouvait respirer et bouger à nouveau !

– Tiens bon, Eliot... murmura-t-elle en se redressant.

Sans quitter le démon des yeux, elle glissa la main sous sa marinière et saisit fermement la dague coincée dans sa ceinture.

Si elle hésita, ce ne fut guère plus d'une seconde. Et sa main s'avéra encore plus rapide que son esprit en plongeant la lame droit dans le cœur de Juliet Evers.

Le démon siffla comme les flammes d'un feu ardent. Un gaz noir s'échappa de ses narines, de sa bouche, de la blessure sur son front. Susan voulut reculer, mais sa main restait liée à la dague, elle-même enfoncée jusqu'à la garde dans la poitrine de Juliet, qui la fixait avec une fureur stupéfaite.

Les yeux de l'aïeule se voilèrent, comme fondant de l'intérieur. De minuscules flammes y crépitèrent, mordirent la pupille, l'iris noisette, le blanc de l'œil.

Puis ce corps en sursis se libéra enfin de l'âme corrompue de Juliet Evers et retomba en un petit tas de cendres grises.

* * *

La dague encore dans la main, Susan tremblait comme une feuille. Eliot s'approcha d'elle et lui retira doucement l'arme. Sans même se toucher, ils restèrent l'un près de l'autre, debout devant le tas de cendres. Unis par l'horreur de ce qui venait de se passer.

– Tu m'as sauvé la vie, chuchota le garçon.

– Je ne suis pas tout à fait sûre que ce soit moi, répliqua Susan.

Et en plus tu es loin d'être tiré d'affaire !

– Qui d'autre ?

– Ma mère et les Rosebury.

Elle pressa l'index sur son front.

– Ils étaient là, dit-elle.

Eliot ne parut pas spécialement surpris. D'un geste mécanique, il toucha une des bandes de tissu bleu qui ceignaient ses poignets.

– C'est puissant… se contenta-t-il de commenter.

Il s'agenouilla et, du bout de la dague, effleura les cendres légèrement fumantes.

— Il faut qu'on s'en débarrasse, fit-il en se tournant vers Susan.

La jeune fille préférait ne pas penser à la réaction d'Helen si elle venait à entrer dans la pièce et voyait la jolie professeur rousse réduite à un petit amas de poussière grisâtre. Ce genre de choses ne s'imaginait même pas.

Elle regarda autour d'elle. Près de la cheminée, sur un portant en acier, étaient suspendus toutes sortes d'ustensiles destinés à l'entretien du feu. Elle s'empressa de saisir la pelle et la balayette et commença à ramasser les cendres. Ce fut vite fait, il n'y en avait pas tant que cela.

— On peut s'estimer heureux de ne pas avoir eu à cacher le corps ! fit remarquer Eliot.

Susan se sentait plus chanceuse qu'heureuse. Mais elle ne dit rien et jeta les cendres dans la cheminée. Elles s'ajoutèrent aux autres, de bois et de feuilles, à peine plus foncées.

La poussière retourne à la poussière...

Elle n'avait que trois ans lorsqu'elle avait entendu ces paroles pour la première fois, dans une église, autour des cercueils de ses parents. Elle ne les avait comprises que plus tard. Et elles prenaient tout leur sens aujourd'hui.

— Susan ? Tu m'entends ?

Elle regarda Eliot, un peu hébétée.

— Aide-moi à déplacer le canapé, dit-il. Si ma mère voit ça, elle ne va pas aimer du tout...

Il montra la tache sur le tapis, cercle cendreux d'une vingtaine de centimètres de diamètre. Susan empoigna l'accoudoir du canapé et tira de toutes ses forces. Le plus gros de la tache disparaissait sous le feston. Il ne restait plus qu'à souhaiter qu'Helen ne soit pas trop regardante.

— Au pire, on pourra toujours dire que c'est la faute de Georgette !

La tentative d'Eliot pour la détendre arracha à Susan un sourire fragile.

— Où est-ce qu'on va pouvoir cacher ça ? s'interrogea-t-il, la veste et le sac de la professeur à la main.

Malgré l'immensité de la pièce, il n'y avait guère que les placards, intégrés au-dessous des rayonnages de la bibliothèque, qui pouvaient offrir une cachette. Le garçon fourra les affaires de Juliet dans l'un d'eux.

— On s'en occupera plus tard.

Il assure vraiment, pensa Susan. *Pendant que moi, je reste plantée là comme une idiote.*

Il lui jetait sans cesse des petits regards inquiets. Elle en éprouvait une étrange émotion, un tourbillon au creux du ventre, doux et hypnotique. Il fallait toutefois revenir à la réalité. Vite. Très vite. Trouver une explication sur la disparition soudaine de miss Evers. Essayer d'être calme. Détendue. Mais pas trop – les événements de ces derniers jours ne s'y prêtaient pas.

Animée par l'urgence et habituée à s'adapter à toutes les situations, Susan devait se montrer inventive face à Eliot, définitivement conquis.

* * *

Helen fut contrariée par l'annonce du départ précipité de miss Evers. Contrariée et surtout irritée. Partir comme ça, sans même prendre quelques secondes pour saluer celle qui l'avait engagée, lui apparaissait comme un manquement à la plus élémentaire des politesses.

— Ne lui en veux pas, m'man ! Ça avait l'air grave, elle était vraiment bouleversée.

— Et puis, elle ne voulait pas déranger, ajouta Susan.

Helen pinça les lèvres et inspira avec ce que Susan était désormais capable de percevoir, cette sorte d'agacement et de déception mêlés.

— A-t-elle précisé quand elle pourrait revenir ? s'enquit-elle.

— Non, elle a juste dit qu'elle te recontacterait, l'informa Eliot.

Helen prit les questionnaires qui jonchaient la table, y jeta un coup d'œil sans cacher son mécontentement.

Soudain, elle leva la tête et huma l'air.

— Bouh, ça pue ! s'exclama Eliot en la devançant de quelques dixièmes de seconde.

Effectivement, en se désintégrant, Juliet Evers avait laissé une épouvantable odeur de pourriture. Une fois de plus, Susan fut éberluée par la capacité d'adaptation d'Eliot. Motivée et solidaire, elle décida de le seconder.

— Oh, Georgette, tu es dégoûtante ! dit-elle en se penchant au-dessus de la petite chienne, occupée à se gratter les oreilles.

En entendant prononcer son nom, Georgette la regarda d'un air plein d'amour avant de reprendre consciencieusement son grattage.

— Cette chienne mange beaucoup trop, fit remarquer Helen. Il va falloir la mettre au régime.

— Elle mange surtout n'importe quoi, corrigea Eliot.

— Très juste !

Helen compulsa les questionnaires qu'elle tenait toujours à la main, les posa sur la table, puis se tourna vers Eliot et Susan.

— Bon, vous allez terminer ce que vous avez commencé... Ensuite, tu voudras bien me rejoindre dans la buanderie pour m'aider à ranger le linge, s'il te plaît, Susan ?

— Oui, bien sûr !

Plus que l'empressement avec lequel elle venait de s'exclamer, c'est celui qu'elle ressentait tout au fond d'elle qui étonnait le plus la jeune fille.

Un empressement que le sourire d'Helen ne fit qu'aviver.

14.

Même lorsque Helen s'adonnait à des tâches aussi ordinaires qu'éplucher des légumes ou trier du linge, Susan lui trouvait une élégance incroyable. Elle avait dû faire de la danse ou de la gymnastique pour avoir cette prestance, ce port de tête. Peut-être un jour Susan trouverait-elle le courage de le lui demander.

Non. Elle poserait plutôt la question à Eliot.

— Ah, te voilà ! fit Helen en l'apercevant sur le palier de la buanderie.

Comme c'était bon d'entendre quelqu'un dire ça. Comme ça.

— Tu arrives à point, poursuivit-elle. Tu as déjà plié des draps, n'est-ce pas ?

— Oui.

Mme Lewis, de la famille d'accueil numéro vingt-deux, et Mme Boyd, de la numéro dix-huit, avaient tant bien que mal tenté de l'initier à cette « technique »...

Helen lui fourra dans les mains les coins d'une housse de couette et recula de quelques pas pour tendre le tissu. Susan se concentra. Hors de question de faire tourner Helen en bourrique ainsi qu'elle s'était amusée à le faire avec Mme Lewis en lâchant tout !

Dans la chaleur douillette et parfumée de la buanderie, elles plièrent ensemble des draps et des housses, puis Helen lui demanda de récupérer les vêtements qui lui appartenaient dans la pile posée sur la table. Elle se mit en face d'elle et fit de même avec ses propres affaires et celles d'Eliot. Appliquée, Susan redoutait de tomber sur un vêtement plus intime qu'un tee-shirt, un pull ou un jean. Mais Helen avait certainement veillé à ce que ça n'arrive pas.

Susan sentait son regard sur elle, pas en permanence, simplement par petits flashs, le temps d'un battement de cils. Deux ou trois fois, elle se risqua à la regarder à son tour. Comment devait-elle interpréter le léger étirement à la commissure de ses lèvres ? L'amorce d'un sourire ? Un certain amusement qu'elle s'efforçait de contenir ?

— Comment vas-tu, Susan ?

La question décontenança la jeune fille.

Je viens de tuer un de mes douze aïeux, qui a juré de me pousser à la mort, alors là je suis un peu terrifiée.

Elle s'efforça de trouver une réponse qui n'inquiète pas Helen. Mais face à son silence et à ses yeux baissés, cette dernière enchaîna, presque gênée d'avoir forcé la réserve de l'ado.

— Je suis tellement désolée que tu sois confrontée à tout cela, si tu savais... dit-elle avec une réelle affliction.

— Ce n'est la faute de personne.

Pendant un instant, Susan crut qu'Helen n'avait pas entendu sa remarque, prononcée dans un murmure hâtif.

— Seigneur, non ! finit-elle pourtant par lâcher.

— Ce sont des choses qui arrivent... les gens qui meurent...

Helen ne renchérit pas et s'affaira de plus belle sur les tee-shirts d'Eliot. De son côté, Susan était en proie à un véritable bouleversement.

Quelque chose en elle sembla fondre. Elle eut l'envie folle et tendre de se jeter dans les bras d'Helen. De se laisser aller. Était-ce déjà arrivé ? Savait-elle seulement comment on faisait ?

Hé ! Calme-toi ! Tu es juste en train de ranger du linge en compagnie d'une femme que tu connais depuis quelques semaines seulement, pas la peine de t'emballer !

Malgré les rebuffades qu'elle s'infligeait, la sensation persistait. Si troublante qu'elle fut soulagée quand Helen l'invita à la suivre dans la cuisine.

— Une bonne tasse de thé nous fera du bien, fit-elle.

Susan n'avait jamais compris en quoi cette boisson insipide – ou parfois si dégoûtante – pouvait apporter un quelconque réconfort.

— Tu sais faire du thé, Susan ?

— Euh, oui... Il faut jeter un sachet dans de l'eau chaude.

Helen sourit, très largement cette fois-ci.

— C'est un petit peu plus précis que ça. Je vais te guider...

Susan suivit scrupuleusement les consignes, fit chauffer l'eau jusqu'à ce qu'elle se transforme en gros bouillons, remplit la passoire à thé de deux cuillerées d'un mélange de feuilles roulées au parfum épicé et versa l'eau fumante.

— Parfait ! Et maintenant, il faut laisser infuser trois minutes, pas davantage, sinon c'est trop âcre, précisa Helen.

Bonne élève, Susan commença à faire le décompte du bout des lèvres. Helen s'en amusa gentiment.

— Tiens, ce sera beaucoup plus facile avec ceci, dit-elle en lui tendant un petit sablier.

Encore plus intense que dans la buanderie, une bouffée de douceur envahit Susan. Des moments comme celui-là, elle en avait rêvé. La complicité que pouvaient avoir une mère et sa fille dans les petites choses insignifiantes de la vie. Oui. Quoi de mieux que cette banalité ? Susan n'en avait jamais été aussi proche qu'à cet instant.

Elle se raidit en sentant la présence d'Helen juste derrière elle et fit mine d'être captivée par le processus d'infusion du thé et le sable qui s'écoulait dans le minuscule flacon.

— Tu veux bien mettre un peu de lait dans ce pot ?

Préparer le thé « façon Helen Hopper » était compliqué. Pourtant, Susan s'en acquittait avec un plaisir grisant.

— Viens t'asseoir, fit Helen.

La jeune fille ne s'attendait pas à partager ce *tea time* en tête à tête. Elle prit place à la grande table de cette cuisine si chaleureuse et observa les gestes d'Helen qui commençait à remplir les tasses.

— C'est le péché mignon de mon père...

Surprise, Susan releva la tête.

— Il adore prendre le thé dans la cuisine, ce qui désespère ma mère, poursuivit Helen.

Puis, plantant son regard dans celui de la jeune fille, elle ajouta avec un petit rire :

— Elle est très à cheval sur les usages.

Elle but une gorgée de thé avant de continuer :

— Elle a été élevée comme ça. Et avec l'âge, ça ne s'est pas arrangé. Mon père vient lui aussi d'une excellente famille, mais il a toujours été hermétique à ce type de règles. C'est un excentrique.

— Comme Alfred ? renchérit Susan.

Cette éruption de spontanéité était à double tranchant, elle le savait parfaitement. Helen baissa les yeux, prit un biscuit et croqua dedans avec délicatesse.

— Dans un style moins démonstratif, oui... répondit-elle.

Susan s'était attendue à davantage d'aigreur. Surtout après la violente dispute de la semaine passée. Mais qui pouvait savoir... Peut-être qu'au fond d'elle, Helen comprenait Alfred mieux qu'elle n'en avait l'air.

— Ils habitent où ?

— Mes parents ? Dans les Cornouailles. Je suis une authentique Cornique !

— C'est un peu comme ici, non ?

— En effet, je dois avouer que je ne suis pas trop dépaysée quand je rends visite à mes parents. Ils vivent toujours là-bas, dans une immense maison, battue par les vents, qui appartient à ma famille depuis des générations. Je ne saurais même plus te dire exactement combien, alors qu'on me l'a mille fois répété pendant toute mon enfance...

Susan osait à peine respirer tant elle craignait de rompre cet instant. Helen avait-elle déjà autant parlé ? Elle se resservit du thé et y ajouta ce qu'il convenait d'appeler un nuage de lait. Tout en portant la tasse à ses lèvres, elle regarda par la fenêtre l'immensité verte et humide du parc, le ciel de plomb, puis Susan, sagement assise face à elle.

— Mon père aime boire son thé dans un grand mug jauni, poursuivit-elle. Autant te dire qu'il s'attire chaque fois la désapprobation de ma mère, qui nourrit une véritable passion pour la porcelaine fine. Sous toutes ses formes, des assiettes, des bibelots, des vases...

Susan chercha quelque chose à dire dans le silence relayant ces confidences. La première pensée qui lui vint l'étonna elle-même :

— Un jour, je me suis retrouvée dans une famille où la femme aimait ça. Il y en avait partout.

Helen inclina la tête sur le côté, tout ouïe.

— C'était vraiment moche.

Susan ne trouvait rien de plus à dire. Rien de mieux. Pourtant, le sourire que lui adressa Helen tissait entre elles deux une attache d'une nature nouvelle.

— Je suis tout à fait d'accord avec toi ! lui souffla-t-elle.

Elle but une gorgée de thé sans la quitter des yeux, avec cette connivence maternelle et féminine si étrangère à Susan.

— Tu veux bien me faire une promesse ? lui demanda-t-elle soudain.

Sans attendre la réponse, elle enchaîna :

— Le jour où nous irons rendre visite à mes parents, ne parle jamais à ma mère de l'aveu que je viens de te faire, veux-tu ?

Susan acquiesça sobrement, malgré l'intensité de la joie qui explosait en elle.

— Ce sera notre petit secret.

Plus que de la joie, c'est un bonheur pur qui étreignit le cœur de la jeune fille.

Des projets d'avenir.
Un secret.
Si dérisoires soient-ils.
Que pouvait-il exister de mieux entre… une mère et sa fille ?

15.

Susan ouvrit les yeux et battit plusieurs fois des paupières, sans parvenir à distinguer quoi que ce soit dans l'obscurité qui régnait.

Il lui semblait être allongée dans son lit, sans qu'elle puisse en être vraiment sûre. Elle n'était même pas certaine d'être réveillée. À coup sûr, elle allait se retrouver dans cet angoissant cimetière et devoir faire face à ses ignobles aïeux. Mais les ronflements de Georgette la rassurèrent : si elle les entendait, c'est qu'elle flottait certainement entre sommeil et réveil. Et puis, elle n'avait plus jamais subi – et vécu ! – ce cauchemar depuis que le clan de son père avait retrouvé un semblant de vie. La malédiction avait franchi une étape, le cauchemar s'était déplacé dans la réalité. Même plus besoin d'être endormie.

Il ne restait plus à Susan qu'à se laisser dériver et à voir où ses songes la conduiraient.

L'obscurité se dissipa en de longs rubans indistincts dès lors qu'elle referma les yeux. On aurait dit un immense foulard flottant à la fin de la nuit, presque immatériel, d'un bleu éthéré. Son mouvement incitait Susan à s'élancer pour tenter de l'attraper. Elle parvenait à le toucher du bout des doigts. Mais impossible de le saisir.

D'ailleurs, il s'envolait déjà, à l'opposé de l'horizon orangé où le soleil se lèverait bientôt. Susan s'enfonça dans la nuit restée noire, à sa poursuite. Elle devinait son sillage plus qu'elle ne le distinguait, ses bras et tous les muscles de son corps lui faisaient mal à force de se tendre. Mais elle devait suivre le ruban, coûte que coûte.

Quelque chose la fit trébucher. Un caillou ? une branche ? des ronces ? À la douleur cinglante qui lui vrillait la plante des pieds, elle comprit qu'elle ne portait pas de chaussures. Malgré cela, elle n'abandonna pas.

Mais lorsque sa cheville droite se prit dans un nouvel obstacle, sa course se stoppa net. Elle chuta lourdement sur le sol froid et remua la jambe pour se dégager de l'entrave qu'elle sentait se refermer sur sa peau. Une image lui vint aussitôt à l'esprit : celle d'un de ces horribles pièges à loups qui pouvait vous briser les os de ses dents métalliques crantées.

Susan devait se mordre les lèvres pour ne pas hurler de douleur. Pourtant, elle savait que rien n'était réel. Elle était là, au fond de son lit, dans le manoir des Hopper. Alors pourquoi avait-elle si mal ?

Elle devait quitter ce mauvais songe. Ouvrir les yeux pour arrêter ça. Ses paupières lui paraissaient scellées, c'était si difficile de bouger sans aggraver la douleur.

Les grondements de Georgette, alternés avec les lèchements qu'elle lui faisait sur la joue, la firent basculer du côté de l'éveil.

Or la douleur à sa cheville s'avérait être toujours aussi atroce. Et pour cause : quelqu'un était véritablement en train de la mordre ! Susan se redressa vivement sur les coudes et se débattit de toutes ses forces.

Morris. C'était Morris. Le meneur des Rosebury. Celui par lequel tout avait commencé.

Il leva lentement la tête, sans toutefois lâcher la jambe de Susan, et regarda sa descendante droit dans les yeux.

— Tu n'es qu'un démon... tu n'es qu'un démon... tu ne m'auras pas... psalmodia-t-elle.

Mais loin d'être impressionné, Morris mordit à nouveau à pleines dents dans la cheville de Susan, comme un sauvage affamé croquerait un jambon. Georgette s'approcha de lui et gronda encore plus fort. Il leva le bras, prêt à lui assener un coup. Aveuglée par sa mission de protection, la petite chienne n'avait pas l'instinct de reculer et s'approchait dangereusement. Rarement Susan s'était sentie aussi impuissante.

Si Morris n'avait été qu'un démon, son attention n'aurait certainement pas été attirée par la lueur bleutée apparue au plafond. Mais il était aussi un humain de chair et d'os, mû par des réflexes. À peine son regard se dirigea-t-il vers la lueur qu'elle fondit sur lui tel un filet de pêche. Son bras resta figé dans cette posture agressive au lieu de s'abattre sur Georgette. Les traits contractés par la colère, il lutta pour se dégager. Mais la lueur se découpa en bandes pour le ligoter.

Susan fit aussitôt le lien avec le foulard qu'elle venait de poursuivre, à mi-chemin entre songe et éveil. Mais quoi que ce puisse être réellement, cela la libérait de la morsure impitoyable de Morris. Elle attrapa Georgette et se recula jusqu'à l'autre extrémité du lit. À deux mètres d'elle, Morris luttait farouchement. Le démon, cette âme ayant traversé les siècles, ne trouvait pas la force nécessaire pour empêcher le foulard de l'étouffer. Trahi par son corps d'humain ni mort ni vivant, il tirait sur l'étoffe, en déchirait des lambeaux, se tordait pour échapper à l'étranglement.

— Laisse-la tranquille !

La voix était basse mais parfaitement audible.

— Tu ne vaincras pas… Aucun d'entre vous ne vaincra.

De la même façon que le parfum, Susan aurait reconnu entre mille cette intonation un peu traînante, ce timbre doux et triste.

C'était ceux de sa mère, Emma.

La voix n'était pas qu'à l'intérieur de sa tête. Elle existait. Comme existaient ses bons et mauvais aïeux, ce foulard qu'elle avait gardé depuis la nuit où ses parents étaient morts. Morris, là, devant elle.

— Susan est plus forte que vous tous, poursuivit la voix d'Emma. *Nous* sommes plus forts que *vous*.

L'emprise du foulard bleu autour du cou de Morris se fit encore plus puissante. Les yeux exorbités, le démon regarda Susan avec une haine qui la tétanisa. Comme tiré par une main invisible, le foulard l'entraîna alors vers la fenêtre.

Morris disparut en une fraction de seconde. Volatilisé dans un panache de poussière fétide.

La chambre de Susan retrouva instantanément la quiétude de la nuit. Plus rien ne subsistait que le souvenir glaçant de cet instant.

Et le vilain impact des dents de son ancêtre sur la peau blanche de sa cheville.

16.

Trouver une bonne raison pour rester au manoir s'avérait difficile, voire impossible pour les deux ados. S'ils prétextaient qu'Eliot ne se sentait pas bien, Helen appellerait aussitôt le médecin. Qui ne mettrait pas longtemps à s'apercevoir que le garçon n'était plus tout à fait vivant. Laisser entendre que ni l'un ni l'autre n'avait trop le moral ? Ils étaient tous deux très forts pour feindre ce genre de choses et ne manquaient pas de pratique. Mais, connaissant Helen, elle rétorquerait que cette visite à leurs nouveaux voisins, si charmants, leur ferait du bien. Des révisions à faire pour affronter la rentrée avec un cerveau bien plein ?

— Elle ne gobera jamais un prétexte aussi bidon… soupira Eliot.

Susan hocha la tête.

— De toute façon, il vaut mieux qu'on soit avec elle, finit-elle par conclure.

À ces mots, Eliot pâlit. Ses traits parurent moins marqués, plus flous. Susan s'en voulut aussitôt. De quelle manière pourraient-ils empêcher Daniel et Morris de faire quoi que ce soit ? Tout ce que les deux ados risquaient, c'était que ne soit dévoilé ce qu'ils s'efforçaient de cacher depuis des jours. Cette menace permanente du renvoi de Susan au Home d'orphelins, de l'anéantissement de tous ses efforts et de tout espoir d'une vie de famille digne de ce nom. Et, summum de l'horreur, très certainement du passage définitif d'Eliot de la vie vers la mort.

– Oublie ce que je viens de dire, murmura Susan.

– Non ! s'exclama Eliot. On y va ! Ce sera dur, mais tu as raison. Et puis comme ça, on peut toujours se dire qu'on garde une forme de contrôle.

Susan l'aida à ajuster correctement sa cagoule tout en lui jetant de petits coups d'œil anxieux. Lèvres pincées, elle le regarda mettre ses lunettes de ski tout en pensant que c'était un comble d'être réconfortée par celui qui était le plus durement touché.

– N'oublie pas que ta mère et les Rosebury nous protègent, ajouta-t-il.

Jamais Susan n'avait autant entendu parler de sa mère. Beaucoup plus durant ces quelques semaines chez les Hopper que pendant toute une décennie au Home.

Ça aussi, c'est un comble ! se dit-elle.

– On y va ? fit Eliot, harnaché comme un scaphandrier.

Cette fois, c'est lui qui lui lançait des regards inquiets à travers le verre coloré de ses lunettes.

– On y va… murmura Susan en retour.

* * *

Helen avait raison : la petite maison à l'entrée de Thornshill était *absolument charmante* avec ses pierres grises couvertes de vigne vierge rougissante, ses barrières de bois blanc, ses massifs de fleurs d'un désordre savamment étudié. Une vraie maison de poupée !

Avec des démons comme habitants.

Une fois la voiture garée, Helen dévisagea Eliot et Susan d'un air moralisateur.

– Mais oui, m'man, on sera polis… soupira le garçon avant même que sa mère ne prononce une parole.

Helen lui fit un sourire forcé.

– Ma-da-me Hopper !

La voix de Daniel Hamilton résonna aux oreilles des deux ados comme le croassement d'un corbeau. Helen, quant à elle, semblait ravie.

– Eliot, n'oublie pas le cadeau, veux-tu ?

Susan perçut la soudaine panique de son ami : le panier de bienvenue, plein de spécialités de la région – biscuits au beurre, toffees au whisky, marmelade de cassis… –, était bien trop lourd pour lui. Elle vint à sa rescousse et le lui prit des mains, malgré sa résistance.

— Non ! Ce n'est pas à toi de l'offrir ! chuchota-t-il nerveusement.

— Parce que je ne fais pas partie de la famille, c'est ça ?

Sa réplique était injuste et inutilement agressive, elle le savait bien. Il faudrait qu'elle apprenne à être moins brutale. Un jour. Quand ce cauchemar serait terminé.

— Ce n'est pas ce que j'ai voulu dire, lui souffla-t-il.

— Moi non plus...

Mais le moment n'était ni à la dispute ni aux explications. Helen s'avançait déjà dans l'allée dessinée par des copeaux de bois brun, il leur fallait la suivre. Au bout, le maître des lieux les attendait, le regard brillant.

— Je suis enchanté de vous accueillir dans ma demeure !

Il serra chaleureusement la main d'Helen entre les siennes et gratifia les deux ados d'un sourire qu'ils ne lui rendirent pas. D'un petit mouvement de tête, Helen fit signe à Susan de donner le panier à leur hôte.

— Quelques gourmandises de notre belle région, précisa-t-elle à Daniel.

Devant l'air exagérément enchanté de Daniel et l'effusion de ses remerciements, Susan préféra afficher une indifférence qu'elle était cependant loin d'éprouver. Colère, terreur, frustration, haine... Les ressentiments se disputaient la première place.

Les doigts de Daniel frôlèrent les siens lors de l'offrande. Le démon l'avait fait exprès, Susan l'aurait juré. Instantanément glacée de la tête aux pieds, elle se raidit à ce contact pourtant si éphémère.

— Entrez ! Entrez donc ! s'exclama-t-il.

Il s'effaça pour les laisser passer tous les trois.

Et Susan eut la terrifiante sensation de se jeter dans la gueule du diable.

17.

Daniel referma la porte et lança avec entrain :

— Puis-je vous offrir un thé ? À moins que vous ne préfériez un café ? Et les enfants ? Un soda, un sirop à l'eau ?

Dis plutôt un sirop au poison ! rétorqua Susan en pensée.

Par un simple regard, Helen pressa Eliot et Susan de répondre.

— Non merci, dirent-ils poliment.

— Ah, les ados... soupira Daniel. Et vous, Helen ?

Il fit mine d'hésiter.

— Vous permettez que je vous appelle Helen ?

Susan fut surprise de la voir acquiescer. Qui plus est avec un certain plaisir. Elle ne faisait pas partie de la famille depuis longtemps, mais elle connaissait la réserve d'Helen à ce sujet.

— Eh bien, un café serait le bienvenu !

Daniel se tourna vers une autre pièce, vraisemblablement la cuisine.

— Morris ? héla-t-il.

Le visage de son faux frère apparut dans l'embrasure de la porte.

— Oh, bonjour ! s'écria-t-il. Vous allez bien ?

— Très bien, merci, et vous ? fit Helen.

Eliot et Susan se contentèrent de le regarder froidement. Ce qui, d'après le sourire narquois qui étira ses lèvres étonnamment colorées, sembla l'amuser.

— Tu veux bien préparer deux cafés et nous les apporter à l'atelier, s'il te plaît ? poursuivit Daniel.

— C'est comme si c'était fait !

Agacée par cet enthousiasme exagéré, Susan fut la première à emboîter le pas au maître de maison lorsqu'il les invita tous à le suivre. Ensemble, ils traversèrent un jardinet à l'arrière de la demeure et parvinrent à une dépendance, sorte de copie miniature de l'habitation principale.

— Voici mon atelier ! s'écria-t-il.

Le feu dans le four, l'intensité de la chaleur sèche, l'odeur un peu âcre, le reflet orangé de l'âtre sur les murs... Solidement ancrés en Susan, les souvenirs s'éveillaient. Elle avait l'impression d'être la Belle au bois dormant et de découvrir ce qu'elle ne pensait même pas avoir vécu. Elle entendait d'une oreille sourde les explications de Daniel sur son métier, les techniques qu'il employait, le processus de fabrication du verre, ces mille et un détails qu'elle connaissait sans le savoir. Dans le même temps, les images lui parvenaient en rafale, son père à l'œuvre dans son atelier, le visage rougi par l'incandescence du verre amolli et brûlant, son regard bienveillant sur elle, petite fille qui l'observait avec admiration, perchée sur un tabouret haut.

Onze ans plus tard, la scène était quasiment la même. Le regard bienveillant de Daniel et l'admiration de Susan en moins. L'un remplacé par la promesse du pire et l'autre, par la détermination farouche d'en finir.

— Vous voulez essayer ? fit-il en tendant une canne à Helen.

— Vous croyez que je peux ?

— Bien sûr !

Au grand désarroi des deux ados, il se plaça derrière son invitée pour la guider. Ses mains accompagnaient celles d'Helen sur la canne, son corps l'orientait dans la bonne posture, au point que les visages s'effleuraient. Chacun de ses gestes créait plus qu'une proximité : il se parait d'une intimité troublante.

Susan et Eliot n'en revenaient pas qu'Helen accepte qu'on ait envers elle cette attitude, cette familiarité. Elle ne faisait rien pour empêcher Daniel. Et semblait même y trouver un certain plaisir, ainsi que le rose sur ses joues et l'abandon de sa raideur naturelle en témoignaient.

Elle souffla dans la canne, les yeux écarquillés par la fascination de voir le verre gonfler.

Lorsque Daniel prit le relais tout en lui susurrant des félicitations à l'oreille, elle émit un petit rire surpris. Et surprenant.

Susan ne le supporta pas.

— Est-ce que je pourrais essayer ? lança-t-elle d'un ton abrupt.

Devant la mimique moralisatrice d'Helen, elle fut contrainte d'ajouter :

— S'il vous plaît ?

— Tu devras attendre ton tour, jeune fille, nous n'avons pas encore terminé, assena Daniel.

Susan soutint avec courage son regard, redevenu non humain.

Eh oui, je vois clair dans ton jeu, monstre ! lui exprima-t-elle de ses yeux vairons.

Helen se recula et lui tendit la canne. Un renoncement que Susan prit comme une petite victoire. Lorsque Daniel se saisit d'un chalumeau, elle ne put cependant pas s'empêcher d'appréhender.

Il se pencha au-dessus du plan de travail et braqua la flamme sur le verre qui rougit de plus belle.

— Tu dois tourner la canne, doucement, lui ordonna-t-il.

Elle obéit, le cœur cognant à se rompre. Devait-elle se concentrer sur ce qu'elle faisait ou sur ce que Daniel faisait ? Son chalumeau toujours à la main, il se rapprocha d'elle, avec une telle soudaineté qu'elle faillit lâcher la canne.

La flamme jaillit à nouveau de l'outil dans un souffle fendant l'air et le silence.

— Tu sais ce qui pourrait arriver, ma petite Susan adorée ? murmura Daniel.

Elle sentit son regard maudit se diriger vers Helen qui admirait la transformation de la pâte de verre au bout de la canne. Puis elle vit la flamme changer lentement de trajectoire, glisser graduellement vers Helen.

Elle n'eut pas le temps d'esquiver la main de Daniel se refermant sur la sienne.

— Il suffit d'un rien pour que ta chère Helen se retrouve gravement brûlée, poursuivit-il, presque inaudible. Nous l'avons été, ta mère et moi, nous en sommes même morts, tu t'en souviens, Susan ?

Il accentua la pression sur la main de la jeune fille pour orienter la flamme vers Helen.

— Quelle déception ce serait pour elle si tu faisais cela... Tu t'en rends compte, Susan ?

Plus que tout, elle détestait la façon qu'avait Daniel de prononcer son prénom. Ce chuintement des deux syllabes sur sa langue sèche et le *n* qu'il laissait en suspension. Un serpent venimeux ne ferait pas mieux.

Elle quitta un instant des yeux la flamme du chalumeau pour apercevoir Helen, en pleine contemplation d'un assortiment de flacons posés sur une étagère. Eliot, lui, se tenait tout près, figé dans sa combinaison de cosmonaute. Susan devinait qu'il les fixait avec horreur.

— Tu n'es pas plus fort que moi... chuchota-t-elle au démon.

— Tu crois ? rétorqua-t-il avec ce sourire carnassier qui la révulsait.

Il enfonça ses doigts glacés dans la main de la jeune fille. Le chalumeau prit une trajectoire dangereuse, Susan résista de toutes ses forces, la terreur cédant la place à une colère noire et tenace.

Elle ne dut sa libération qu'à Morris, qui venait de faire son apparition.

— Les cafés sont servis ! fit-il.

Il marqua un temps d'arrêt, troublé par la scène qu'il découvrait. Helen se retourna, Daniel lâcha immédiatement la main de Susan.

— Comme c'est gentil ! s'exclama Helen.

Elle prit une tasse et se mit à siroter le breuvage encore fumant. Pendant qu'elle engageait une conversation polie avec Morris sur l'imminence de la rentrée scolaire, Susan en profita pour remonter discrètement sa marinière. Elle comprit que son but était atteint en constatant que la vision du manche de la dague entamait la belle assurance de Daniel.

— Nous sommes encore onze, souffla-t-il avant de se reculer prudemment.

— Et moi, je suis loin d'être seule.

Il la provoqua d'un nouveau rictus narquois avant d'éteindre son chalumeau et de rejoindre Helen.

— Ça va ? chuchota Eliot à son amie.

— Mmmhh… marmonna-t-elle.

Ils firent mine de s'intéresser à la vitrine dans laquelle figuraient les créations de verre de Daniel, des flacons aux formes complexes ou épurées, à la transparence diaphane ou aux couleurs vives.

— Non, Susan, tu ne le feras pas, fit Eliot.

— Quoi ?

— Exploser la vitrine.

— Ce n'est pourtant pas l'envie qui me manque.

— Je sais.

Il se rapprocha d'elle, jusqu'à ce que leurs épaules se touchent. Non loin, Daniel et Helen devisaient à voix basse sur la maladie du garçon. Le démon ne manquait pas une occasion de poser la main sur l'avant-bras d'Helen, de la gratifier d'un sourire par-ci, d'un compliment par-là. Et à l'évidence, son charme opérait : Helen semblait ravie. Susan ne l'avait jamais vue aussi légère. À part pendant les rares moments où James, son mari, était à la maison, la couvrant d'attentions. Elle conservait alors sa réserve, mais chacun pouvait constater qu'elle s'autorisait tout de même un certain relâchement.

Ce genre de relâchement.

C'était insoutenable.

Pour Susan comme pour Eliot.

— M'man ? fit ce dernier.

Elle interrompit sa discussion et pâlit en voyant son fils prendre appui contre le mur.

— Tu ne te sens pas bien ?

— Pas trop…

Ce fut au tour de Susan d'esquisser un sourire revanchard.

Bravo, Eliot !

— Nous nous reverrons ! lança Daniel en les raccompagnant à la voiture.

Une promesse qui sonna de bien des manières dans le clan des Hopper…

18.

En cette veille de rentrée, l'anxiété de Susan et d'Eliot se répandait en ondes invisibles dans tout le manoir. Ils s'étaient débarrassés de Juliet Evers, une de leurs futurs professeurs. Mais demain, ils ne pourraient échapper à Morris. Dans la cour de Machan's School. Dans les couloirs. Au réfectoire. Partout. Tous les jours. Du matin au soir.

Témoin de leur nervosité, Helen fit son possible pour les divertir, ou du moins les occuper, en les entraînant dans la cuisine pour confectionner des petits sablés au beurre. Puis dans son atelier pour les initier au modelage sur un métier de potier, dans le salon pour brûler de vieux journaux dans la cheminée – d'ordinaire, Eliot s'adonnait à cette tâche avec tant d'entrain.

Mais ses efforts demeuraient vains.

— Tout va bien se passer, ne cessait-elle de leur répéter.

Elle avait fini par les laisser décider par eux-mêmes de la meilleure façon de s'ennuyer et s'était retranchée dans son bureau.

Le pas traînant et les épaules basses, les deux ados déambulèrent alors d'une pièce à l'autre, commencèrent un jeu, un livre, une émission de télé... qu'ils abandonnaient, incapables de se concentrer sur quoi que ce soit.

Susan passa pour la centième fois devant l'énorme bouquet de fleurs dont le parfum était à l'image de celui qui l'avait envoyé à Helen : ostentatoire et obsédant.

— Il se prend pour qui, ce Daniel Hamilton ? grommela Eliot. Je ne sais pas ce qui me retient de mettre ces fichues fleurs à la poubelle.

— Rien... Rien ne te retient ! fit Susan qui pensait exactement la même chose.

La réaction d'Eliot fut immédiate : il quitta le hall, gravit l'escalier à toute allure et réapparut une minute plus tard, en train de se contorsionner pour enfiler les manches de sa combinaison protectrice.

— Ah ça, pour la spontanéité, il n'y a pas mieux... ronchonna-t-il.

Il sortit sa cagoule de sa poche, l'enfonça sur sa tête et saisit le bouquet. L'eau goutta sur la console, peu importait.

— Tu veux bien prendre le vase ? fit-il.

Et il se précipita vers la porte d'entrée, non sans récupérer ses lunettes de ski accrochées au porte-clés. Susan le suivit, soulagée de faire enfin quelque chose.

* * *

Ils traversèrent le parc à grandes enjambées, Georgette sur leurs talons. L'air était frais et revigorant, Susan brûlait d'envie de courir dans l'herbe en criant à tue-tête comme une sauvage. Mais que dirait Helen si elle voyait ça ? Qu'elle était possédée ? Elle n'aurait pas été loin de la réalité.

— Je rêve de faire ça depuis deux jours ! s'exclama Eliot.

Il tendit le bras en arrière et balança de toutes ses forces le bouquet dans l'eau du loch. Les plus grosses fleurs, sans doute des lis, retombèrent en formant autour d'elles des lignes concentriques de plus en plus larges. Les autres fleurs – roses et gypsophile – flottèrent en s'éloignant peu à peu du bord.

— Aaaaah ! cria Eliot. Ça fait du bien !

Susan croyait ne plus jamais en avoir l'occasion. Pourtant, Eliot venait de réussir le prodige de la faire sourire.

— En plus, il était vraiment moche, ce bouquet ! renchérit-elle.

— Oui ! On peut dire que les démons et la composition florale, ça fait deux !

Ils partirent tous deux d'un rire détonant à s'en décrocher la mâchoire.

— Bon, avouons-le, on n'est peut-être pas très objectifs, commenta Eliot. Ma mère, elle, a l'air de le trouver *ma-gni-fi-que* !

Son imitation des intonations d'Helen au moment où le livreur s'était présenté à la porte se révélait parfaite.

— Allez, à ton tour !

Susan inspira à fond et envoya le vase le plus loin possible.

— Beau lancer ! commenta Eliot.

— Et bon débarras !

Susan devina son sourire sous la cagoule.

— Helen va se demander où il est passé, non ?

Ils dirigèrent spontanément leur regard vers Georgette et éclatèrent à nouveau de rire.

— Tu ne nous en veux pas, ma petite grosse ? fit Eliot en caressant la chienne frétillante.

Sa combinaison crissa lorsqu'il se releva.

— Elle ne nous en veut pas, confirma-t-il à Susan.

— Merci, Georgette !

Susan détourna légèrement la tête. Le regard masqué d'Eliot la gênait moins qu'avant. Elle commençait à s'habituer à être observée à travers le filtre rouge des lunettes de ski. Mais ça restait encore assez troublant.

— Et si on allait voir Alfred ? proposa le garçon.

De toute façon, au point où on en est... se dit Susan. *Ça ne fera qu'une transgression de plus.*

— Bonne idée ! répondit-elle. Je ne l'ai pas vu depuis des jours !

Eliot soupira.

— La dictature maternelle…

Ils longèrent la berge du loch, vaseuse et écœurante, firent quelques ricochets avec de petits cailloux plats, puis remontèrent l'étroit chemin de terre menant à la maison d'Alfred.

Sans doute les avait-il aperçus depuis une fenêtre car il ouvrit la porte à la volée avant même qu'ils ne toquent.

— Mes jeunes amis préférés ! s'exclama-t-il.

Susan essaya de contenir la stupéfaction et l'hilarité que provoquait l'accoutrement du vieil homme. Elle l'avait déjà vu dans de bien étranges tenues, mais aujourd'hui il battait tous les records ! Ses vêtements étaient de belle facture, rien à redire. Le problème, c'est qu'il se fichait éperdument de l'harmonie.

Il fallut quelques instants à Susan pour faire l'inventaire : chemise rouge pétard à moitié sortie d'un pantalon écossais bleu et jaune, gilet sans manches en brocart doré, une chaussette grise, une autre marron, des mules en cuir fauve… et une visière d'une couleur indéfinissable emprisonnant son abondante chevelure mal peignée.

— Miss Susan est perdue dans une autre galaxie…

La jeune fille émergea de sa contemplation.

— Ah, la revoilà sur notre bonne vieille planète !

— Oui, pardon…

Alfred les scruta l'un après l'autre, pendant une quinzaine de secondes – une véritable inspection ! Son regard vif se brouilla sensiblement.

Il tapa dans ses mains et lança avec une gaieté forcée :

— J'ai préparé du soda au gingembre, vous allez goûter, c'est tonique en diable !

À peine eut-il prononcé ces mots qu'il tendait déjà à Eliot et à Susan un verre de l'étrange boisson. Moins prudente que son ami, Susan but directement une gorgée. Et resta en arrêt.

Tonique ? Euh… Alfred… Ce truc n'est pas tonique, c'est de l'acide pur ! Si mon estomac ne finit pas complètement troué, j'aurai de la chance…

Face à elle, Eliot semblait compatir. Il lui fit doucement « non » de la tête. Elle lui répondit par une grimace involontaire et reposa son verre sur la table.

— C'est délicieux, n'est-ce pas ? fit Alfred.

— Délicieux ! répondirent-ils tous deux en chœur.

— Alors, comment se passe la vie au manoir ? poursuivit le grand-père en prenant place dans un fauteuil, près d'eux.

— Oh, on vient de faire un peu de ménage… dit Eliot.

— Formidable ! Racontez-moi ça !

Le garçon n'omit aucun détail des derniers événements, l'agression nocturne de Morris à l'encontre de Susan, la visite chez Daniel, ses menaces, son attitude envers Helen, le bouquet de fleurs agrémenté de compliments sur la petite carte jointe…

— Il a littéralement dragué ma mère devant nous !

Alfred retira sa visière pour se passer les mains dans les cheveux. Les paumes plaquées sur le crâne, il tira en arrière. La peau de son visage se tendit, il avait vraiment l'air d'un fou. Un gentil fou, mais un fou quand même.

— Certes, Mme Parfaite est une très belle femme, commenta-t-il. Elle peut faire tourner bien des têtes, à condition d'aimer son charme glacial… Mais ce démon de Daniel a uniquement voulu vous mettre à l'épreuve et c'est notre Reine des neiges qui se retrouve manipulée sans le savoir.

— Oui ! Elle ne le montre pas ouvertement, mais on sent bien qu'elle est toute contente ! avoua Eliot. C'est pour ça qu'on a les nerfs…

— Et que le bouquet démoniaque est en train de flotter sur les eaux du loch ! compléta Alfred.

Il se tapota les lèvres du bout de l'index.

— Et toi, miss Susan ?

— Moi ?

— Oui… Tu as les nerfs ?

— Je voudrais qu'ils soient tous morts, lâcha-t-elle.

Son ton se révélait plus virulent qu'elle ne l'aurait cru.

Ils vont se dire « tel père, telle fille »... pensa-t-elle.

— Si je pouvais t'aider à les tuer un à un, je le ferais, tu peux me croire, ma petite-fille ! fit Alfred.

Susan fronça les sourcils et baissa les yeux.

Ma petite-fille... Il m'a appelée « ma petite-fille »...

Pour un peu, elle en aurait oublié l'horreur de ce qu'ils étaient en train d'évoquer. Pensif, le vieil excentrique porta son verre de soda à ses lèvres et avala une gorgée.

— Saperlotte ! Ça décape les boyaux ! s'exclama-t-il, l'air encore plus fou.

Il reposa son verre sur la table encombrée d'ustensiles et d'objets hétéroclites, et secoua la tête.

— J'ai dû forcer un peu sur le gingembre, conclut-il.

Un peu, oui... confirma intérieurement Susan.

— Je ne suis qu'un vieux schnock, mais vous savez que vous pouvez compter sur moi, mes petits chéris.

— On le sait, grand-père.

— Merci... Alfred...

19.

Susan et Eliot avaient quasiment oublié l'existence du bouquet lorsque Helen le leur rappela brutalement en plein milieu du dîner.

— Mais enfin ! Il est bien passé quelque part !

À l'instar de Susan, Eliot baissa les yeux. Pour les relever très vite, contrit.

— Bon, je vais tout t'avouer, dit-il. Mais avant, promets que tu ne la disputeras pas...

Susan se figea, d'autant plus quand Helen braqua un regard sévère sur elle. Eliot n'allait tout de même pas l'accuser !

Ne sois pas débile. Évidemment que non.

— On voulait aller dans le parc avec Susan, expliqua Eliot. J'étais en train de mettre ma combinaison, Georgette a déboulé pour venir avec nous, j'ai trébuché et, en voulant éviter de tomber, j'ai attrapé la console. Le vase s'est renversé, Georgette s'est jetée dans les fleurs et a commencé à les déchiqueter... Tu la connais...

La petite chienne se dandina jusqu'à la table et se posta en position d'attente en implorant les uns et les autres de ses gros yeux humides – et affamés.

— Et... vous avez jeté les fleurs ? s'offusqua Helen. J'aurais pu en récupérer quelques-unes !

— Georgette s'est vraiment déchaînée, tu sais.

Helen pinça les lèvres et s'attacha à découper soigneusement sa tranche de jambon à l'os.

— Et le vase ? reprit-elle.

— Cassé, fit Eliot avec une nonchalance très convaincante. Au moins mille morceaux. Susan m'a aidé à tout ramasser avant que Georgette se coupe.

— Ou avale les éclats ! ajouta Susan.

Elle se risqua à regarder Helen avec une expression qu'elle savait d'une candeur irrésistible.

— Elle est si goulue, ajouta-t-elle.

Comme pour confirmer ces dires, Georgette aboya.

— Cette chienne demande plus d'attention qu'un bébé, soupira Helen.

Susan et Eliot s'entreregardèrent avec un grand soulagement : leur mensonge était passé comme une lettre à la poste – formule que Susan avait beaucoup entendue sans la comprendre vraiment chez les Spencer, quatorzième famille d'accueil.

Mais quand la nuit commença à tomber sur le parc, brumeuse et froide, l'angoisse revint. Helen mit un point d'honneur à prolonger la soirée de toutes les manières possibles, jusqu'au moment de partager une tisane aux plantes censée être apaisante.

– C'est vraiment une manie de boire des trucs bizarres ! murmura-t-elle à Eliot.

– Une tradition familiale, tu veux dire !

Il avala une gorgée tout en la fixant.

– Il faudrait t'y habituer, ajouta-t-il.

Sans problème !

Profitant que sa mère ne le regardait pas, Eliot jeta le contenu de sa tasse au pied d'une plante verte. Ingérer quoi que ce soit de liquide ou de solide était plus facile qu'aux premiers jours de sa transformation en être semi-immatériel, mais demeurait tout de même pénible. Susan termina rapidement sa tasse et, avec l'autorisation d'Helen, ils purent enfin monter dans leur chambre.

– Bon... ben... à demain... marmonna Eliot sur le pas de sa porte.

Susan hocha la tête. Puis elle entra dans sa chambre, alluma la lampe de chevet et s'assit sur le lit. Tout son corps s'affaissa. Les mains jointes entre les cuisses, elle resta immobile, perdue au milieu de cette pièce chaleureuse, de ce joli manoir, de cette vaste propriété qui promettait le meilleur et où elle vivait le pire. Elle avait l'impression de traîner une tonne de plomb sur son dos et d'avoir cent ans.

– Je peux entrer ?

Le visage d'Helen apparut dans l'embrasure de la porte.

— J'ai frappé, tu n'as pas entendu ? se défendit-elle devant l'air surpris de Susan.

— Non, pardon…

Helen entra dans la chambre.

— Ce n'est pas grave, Susan, ne t'excuse pas.

Elle balaya la pièce des yeux avant de revenir sur la jeune fille.

— Tes affaires sont prêtes pour demain ? demanda-t-elle.

Susan se mordit la lèvre.

— Oui.

Comme elle détestait mentir à Helen…

— J'ai préparé mon sac de classe, corrigea-t-elle.

Ainsi, ce ne serait qu'un demi-mensonge.

— Tu as choisi ?

— Choisi ?

— Oui, la jupe ou le pantalon ?

Son uniforme de classe, noir avec liseré et écusson rouges, avait été livré deux jours plus tôt. Mais Susan n'y avait guère prêté attention.

— Je… je n'ai pas encore décidé.

Fais un effort, espèce d'idiote ! se rabroua-t-elle. *Arrête de faire ta psychotique et dis quelque chose d'intelligent, de… normal !*

— Je crois que je vais mettre la jupe, annonça-t-elle en se maudissant aussitôt de ce choix.

— Bien ! s'exclama Helen.

Elle ouvrit la penderie et en sortit la jupe portefeuille, le polo blanc et le pull qu'elle plaça soigneusement sur le dossier du fauteuil.

— La météo a annoncé de la pluie, tu devras peut-être éviter de mettre tes Converse, prévint-elle. Il n'y a rien de plus désagréable que d'avoir les pieds trempés toute la journée !

Susan sentit l'étrange et poignante douceur l'envahir à nouveau. Elle battit des paupières, vite, pour rendre ses yeux moins humides.

— Il faudra se lever vers sept heures pour avoir le temps de prendre un solide petit déjeuner, poursuivit Helen. Veux-tu que je règle ton réveil ?

— Non, non, ça ira !

Helen se frotta lentement les mains.

— Bien... Il me reste donc à te souhaiter une bonne nuit.

Elle s'approcha de Susan et lui fit un baiser léger sur le front.

— Merci... Bonne nuit... bredouilla la jeune fille.

Helen sortit, doucement, et referma la porte derrière elle. Sa présence avait été discrète, délicate. Pourtant, la pièce retrouva aussitôt vacuité et silence.

Susan retira son pantalon et, sans prendre la peine de mettre son pyjama, elle se coucha. Le contact des draps doux contre ses jambes nues était si agréable qu'elle les allongea de tout leur long. Mais le souvenir de Morris en train de dévorer ses chevilles l'obsédait. Comment l'oublier... Alors elle remonta ses genoux contre son ventre et se roula en boule, petit animal terrifié au fond de son lit.

* * *

Une heure passa.

Puis deux. Bientôt trois.

Susan n'arrivait toujours pas à trouver le sommeil. Elle n'avait pu se résoudre à éteindre sa lampe de chevet et l'avait recouverte d'un tee-shirt. La lumière qui en émanait était faible, pas plus vive que celle d'une veilleuse, mais suffisante pour pouvoir distinguer l'intérieur de la chambre. Et la présence indésirable d'un de ces démons venus du passé.

Pourtant, ce n'était pas l'envie de dormir qui lui manquait. Elle n'était pas loin, flanchait parfois en s'assoupissant pendant quelques minutes, puis revenait à elle dans un sursaut effaré.

Elle finit par se lever. Après avoir enfilé son pantalon de pyjama récupéré sous l'oreiller, elle quitta sa chambre pour aller toquer à la porte juste en face : celle de la chambre d'Eliot.

Une dizaine de secondes plus tard, il lui ouvrait.

— Ça va ? fit-il d'une voix pâteuse.

— Je n'arrive pas à dormir.

— Entre.

Il la laissa passer et se rallongea sur son lit.

— Je t'ai réveillé, pardon, fit Susan.

— Je ne dormais pas vraiment.

Sans la regarder, il murmura :

— Tu peux venir, si tu veux.

Susan hésita, pas très longtemps, et le rejoignit. Les bras le long du corps, immobile, elle avait l'impression de n'être qu'un corps sur son lit de mort.

Un jouet du destin.

Lorsqu'elle sentit la main fraîche d'Eliot se glisser dans la sienne, cette impression s'évanouit. Elle entrelaça ses doigts à ceux du garçon, tendrement, sans oser tourner la tête. Au plafond s'agitaient paisiblement les ombres laissées par la nuit à travers la fenêtre – le garçon n'avait pas tiré ses rideaux.

— Tu devrais fermer les yeux, souffla-t-il.

Elle savait qu'il avait raison et qu'il lui fallait se reposer. Demain serait une rude journée, elle devait être en possession de toutes ses facultés. La vie – leur vie – ne pouvait pas s'arrêter là, comme ça.

Submergée par la fatigue et par une immense bouffée d'affection pour ce garçon si gentil, elle se mit sur le côté et se pelotonna contre lui. Dans un geste protecteur, il passa son bras autour de ses épaules et embrassa ses lèvres, juste en surface.

— Allez, viens, on dort... murmura-t-il.

La respiration de Susan se fit de plus en plus lente alors que son corps se ramollissait. Quelques instants plus tard, elle plongeait dans un sommeil sans rêves, sans relief et sans fond.

20.

Machan's School était une des plus vieilles institutions de la région. Des dizaines de générations étaient passées entre ses murs et des dizaines y passeraient encore : le bâtiment de pierre grise aux lourds pignons semblait fait pour résister au passage des siècles.

On dirait plus une prison ou un hôpital psychiatrique qu'une école... remarqua Susan.

Perché sur une butte, il s'élevait sur cinq étages et se détachait dans le ciel morose, paraissant encore plus lugubre et plus écrasant qu'il n'était en réalité. Une large allée d'environ cent mètres menait des grilles grandes ouvertes sur la rue à l'entrée surmontée d'un bas-relief représentant le profil d'un homme, sans doute le fondateur de la vénérable école.

Digne des plus beaux terrains de golf du pays, le gazon des vastes parterres offrait la seule touche de nature, comme un contraste doux et coloré avec le gris de la bâtisse et du ciel.

Un tapis de velours vert... se dit Susan avec l'envie folle d'aller s'y allonger.

Un bus scolaire manœuvrait devant la voiture d'Helen, l'empêchant d'approcher pour se garer sur le minuscule parking attenant.

Helen soupira, lèvres pincées.

– C'est toujours la même chose. Je ne comprends pas que depuis tout ce temps, rien n'ait été fait pour améliorer l'accès...

– Tu peux nous laisser là, c'est parfait ! fit Eliot.

– Vous êtes sûrs ?

– Mais oui ! Tu sais, ce n'est pas comme si on avait cinq ans. Et puis n'oublie pas que je viens dans cette école quasiment depuis que je suis né.

Sa mère lui adressa un coup d'œil faussement sérieux.

– Bon, d'accord !

Eliot l'embrassa sur la joue et remonta sa cagoule sur son visage avant d'ouvrir la portière. Susan, quant à elle, n'arrivait pas à se décider : devait-elle embrasser Helen, elle aussi ? Elle semblait tendre la joue, mais peut-être Susan se trompait-elle. Alors, dans le doute, elle préféra attraper son sac et sortir de la voiture.

– À ce soir ! lança Helen. Bonne journée !

– À ce soir, m'man !

– À ce soir... répéta Susan, confuse.

Elle sentit le regard d'Helen les suivre pendant qu'ils gagnaient l'entrée de Machan's School.

Jusqu'à ce qu'ils disparaissent, absorbés par la foule des élèves qui affluaient.

* * *

Parmi les centaines d'ados patientant dans la cour dallée, deux se distinguaient particulièrement : Eliot, exempté d'uniforme, le seul en blanc au milieu de cette assemblée toute vêtue de noir, et Morris, d'une pâleur et d'une blondeur extrêmes. Il était loin d'être le seul blond au teint marmoréen et pourtant on ne voyait que lui.

Susan et Eliot ne voyaient que lui.

Il les repéra très vite. Forcément. Eliot attirait l'attention et la curiosité, et au-delà les interrogations et les commentaires de ceux qui ne le connaissaient pas encore. D'ailleurs, Morris ne faisait rien pour les empêcher, du moins au sein du petit groupe qu'il avait rallié autour de lui : une demi-douzaine de garçons et de filles de dernière année qui fixaient Eliot, sans malveillance, mais sans compassion non plus.

Ils se frayèrent un passage jusqu'au panneau d'affichage pour trouver la salle dans laquelle aurait lieu leur premier cours. Des élèves s'écartèrent devant eux et les dévisagèrent, comme s'ils étaient contagieux.

— Ça y est, le grand cirque va commencer ! marmonna Eliot.

Sa voix tremblait, Susan en éprouva une profonde colère. Elle avait fait des choses terribles dans sa vie, mais jamais – jamais ! – elle n'aurait ce comportement face à quelqu'un de... différent.

– Quelle bande de débiles, grinça-t-elle.

Elle faillit rembarrer plus d'un élève, notamment un garçon si corpulent qu'il paraissait sur le point d'exploser dans son uniforme. Eliot dut sentir Susan bouillonner car il s'empressa de mettre la main sur son avant-bras.

– Laisse tomber, souffla-t-il. Ça ira mieux dans deux ou trois jours, quand *tous* les profs auront expliqué à *tous* les élèves que Machan's accueille un élève *qui souffre d'un handicap*.

Son amertume donnait à Susan l'envie de lui dire : *Viens !* et de fuir loin d'ici.

– Tu n'y couperas pas, toi non plus, poursuivit-il. En général, il y a un prof qui se dévoue dans chaque classe le jour de la rentrée.

– Eh bien, comme ça, c'est clair !

Susan ignorait si son effort pour positiver avait atteint son but. Mais que pouvait-elle dire d'autre ? Au moins aurait-elle essayé.

Face aux listes, ils finirent par trouver leur nom. Avec un an d'écart, ils ne pouvaient pas être dans la même classe. Ils le regrettaient en silence. Susan aurait aimé protéger Eliot.

Et Eliot aurait aimé protéger Susan.

– Salut, Eliot ! Comment va ?

Eliot tapa dans la main du garçon roux aux yeux noisette qui venait de l'interpeller.

— Salut, Stuart, ça va !

Il n'échappa pas à Susan que, tout en parlant à Eliot, Stuart ne la quittait pas des yeux.

— Je te présente Susan, fit Eliot. Susan, lui, c'est Stuart, on se supporte mutuellement depuis le primaire...

Stuart adressa un sourire radieux à la jeune fille qui lui répondit par un hochement de tête crispé. Elle aurait donné tout ce qu'elle avait pour suivre les deux garçons et ne pas se retrouver seule dans une classe pleine d'inconnus. Elle y était habituée – le nombre d'écoles qu'elle avait fréquentées était proportionnel à celui des familles d'accueil. Mais aujourd'hui, elle ne s'en sentait ni la force ni le courage.

Une puissante sonnerie retentit. Il était l'heure. Les élèves convergèrent tous vers le bâtiment et disparurent à l'intérieur par les trois accès – le principal étant réservé aux élèves de dernière année, dont Morris faisait partie.

Par chance, Eliot et Susan se trouvaient dans la même aile, à deux étages d'écart. Ils gravirent ensemble les marches de pierre, polies par tant d'élèves. Susan ne pouvait s'empêcher d'admirer le volume et la hauteur de la cage d'escalier, le seul élément indiquant qu'on se trouvait bel et bien dans un château. Car, contrairement à l'impression donnée de l'extérieur, le hall et les couloirs avaient été dépouillés de tout ce qui pouvait rappeler la magnificence passée. Il n'existait plus rien de ce qu'on s'attendait à trouver, lustres, tableaux, tapis, boiseries, mobilier. Les murs peints d'une couleur crème passe-partout, des rampes d'éclairage halogènes, des panneaux d'information, l'odeur de propre... on pouvait se croire dans n'importe quelle école, si ce n'étaient le sol de tomettes hexagonales, ocre et rosées, et les cheminées hors d'usage.

Eliot et Susan se quittèrent inquiets, et impatients de se retrouver à l'intercours ou, au pire, pendant la pause déjeuner.

Une éternité... se dit Susan.

Elle suivit des yeux la silhouette blanche et informe d'Eliot et se résolut à rejoindre sa propre classe.

Tête baissée et vue brouillée, elle entra dans la salle, repéra une place au troisième rang et s'y installa. Elle avait envie d'être n'importe où, sauf ici.

— Bonjour à tous !

La voix du professeur principal – une femme – la ramena en pleine réalité. Elle inspira profondément, leva les yeux.

Et comprit aussitôt que la journée allait être très longue et très difficile.

21.

Susan rassembla ses esprits. Elle n'arrivait pas à se rappeler où elle l'avait rencontrée, mais elle en était certaine : elle avait déjà vu la professeur.

Cette femme.

Mme Dawn. C'était son nom.

— Tu la connais ? demanda Susan à sa voisine.

— Euh... je suis nouvelle, je ne connais personne, chuchota la fille.

— Ah, comme moi...

Elle essaya de se concentrer sur les informations délivrées en cascade par Mme Dawn, qui s'avérait être professeur d'anglais et de sport. Cette étonnante combinaison fit sourire tous les élèves, sauf Susan, trop préoccupée.

Un rire parcourut la classe. La jeune fille s'aperçut que tout le monde s'esclaffait. Elle ignorait pourquoi, elle n'avait pas écouté. Mais pas de doute, Mme Dawn savait mettre les ados à l'aise. Sympathique, joviale, vive, elle était la prof idéale, celle dont on rêvait à chaque début d'année scolaire. En plus, elle était jolie. Vraiment charmante avec sa coupe au carré encadrant son visage fin, son cou gracile, son tailleur bleu soulignant sa taille de guêpe.

Susan notait mécaniquement ce qu'elle disait, l'emploi du temps, le nom des autres professeurs, les indispensables recommandations. Parallèlement, elle cherchait où elle avait bien pu rencontrer Mme Dawn. La pire des réponses étant le cimetière – celui de ses cauchemars éveillés, puis celui de Thornshill, quelques jours plus tôt. Mais si le visage de la femme lui semblait familier, elle n'avait pas souvenir de l'avoir déjà vu dans un de ces deux endroits.

Ainsi que l'avait annoncé Eliot, chaque classe de Machan's reçut l'information de la présence d'élèves handicapés et le descriptif rapide du mal dont ils souffraient : Heather, atteinte d'une poliomyélite ; Abhra, paraplégique ; Fabiola et Chris, déficients auditifs. Et Eliot, bien sûr.

Mme Dawn insista sur l'importance de la compassion et de l'entraide, pendant que Susan, comme à son habitude, s'arrêtait sur une expression qui lui paraissait vraiment étrange.

Son esprit s'échappa. Et s'emporta.

Élèves en situation de handicap... En situation ? Pourquoi « en situation » ? Pourquoi pas « qui souffrent d'un handicap » ? Ou « qui sont injustement frappés d'un handicap » ?

Elle soupira d'une façon si excédée que plusieurs élèves la regardèrent avec un air de reproche.

Non ! eut-elle envie de crier. *Je ne m'ennuie pas ! C'est juste que... ça m'énerve qu'on soit obligé de demander d'être gentils avec le garçon en fauteuil roulant ou la fille avec un appareil auditif !*

Elle se promit d'être plus vigilante. Pour la première fois de sa vie, elle était capable de voir plus loin que le lendemain. De se projeter sur du long terme. Si tout se passait bien, elle serait à Machan's School pour quelques années. En tout cas, elle ferait tout pour que ça arrive. Donc se rendre antipathique dès le premier jour était une très mauvaise option.

À son grand désarroi, elle ne fit que croiser Eliot à l'intercours. Juste le temps d'échanger un bref « ça va ? » et de suivre les cohortes d'élèves qui changeaient de salle.

Il leur fallut attendre midi et la pause déjeuner pour se voir enfin. Le réfectoire était bondé. Instinctivement, ils cherchèrent Morris pour se mettre aussi loin que possible de lui. Mais tous les visages, toutes les chevelures se confondaient dans cette foule bruyante et uniforme.

Ils se frayèrent un chemin à travers les tables, accompagnés par Stuart et Joana, la jeune fille à laquelle Susan s'était adressée pendant le cours de Mme Dawn. Ils finirent par trouver quatre places dans la partie la plus éloignée des fenêtres à vitraux.

Dehors, confirmant les prévisions d'Helen, la pluie tombait dru. Le ciel était tellement bas, les nuages tellement denses qu'on devait allumer toutes les lumières comme si la nuit tombait. Mais au moins, Eliot pouvait rester tête découverte.

La conversation tourna autour des deux filles, d'où elles venaient, leurs impressions quant à leur nouvelle école. Un bavardage que Susan avait plutôt tendance à esquiver. Il faudrait vraiment qu'elle apprenne à faire des efforts. Un jour...

— Susan fait partie de ma famille, déclara Eliot.

— Ah, cool ! s'exclama Stuart.

Joana tourna la tête pour la regarder.

— Je comprends, lui dit-elle d'une voix fluette.

— Qu'est-ce que tu comprends ? s'inquiéta Eliot.

— La réaction de Susan quand Mme Dawn nous a parlé de... des...

— Élèves *en situation de handicap*, compléta Susan.

Toujours ce ton un peu abrupt qui la crispait elle-même. Ça aussi, il faudrait qu'elle apprenne.

— Oui, je sais, c'est soûlant, fit Eliot.

Susan le trouva extrêmement indulgent. À sa place, elle aurait trouvé cela gênant, peut-être même humiliant. Mais elle n'était pas à sa place.

— Non, ce n'est pas ça... tenta-t-elle de se justifier.

Elle croisa son regard, la seule partie de son visage qui lui souriait, et abandonna aussitôt toute tentative d'explication.

Ils finirent tous les quatre leur dessert et s'engagèrent dans l'escalier au moment où la sonnerie retentissait. Susan repensa soudain à Mme Dawn, eut envie d'en parler à Eliot. Mais ce n'était ni l'endroit ni le moment. Ils se séparèrent à regret, au milieu d'un long couloir surchauffé.

— Tu es sûre que ça va ? souffla Eliot.

Susan acquiesça d'un mouvement de tête, tout en sachant que l'ombre au fond de ses yeux exprimait bien autre chose. Le jeune homme la regarda s'éloigner vers sa salle de classe, à son tour gagné par cette impression que le danger était là, partout, invisible et surtout prêt à frapper à n'importe quel moment.

22.

Helen avait prévenu Eliot par SMS : elle les attendait, Susan et lui, dans la voiture, à quelques dizaines de mètres de l'entrée de l'école. Ils refermèrent le parapluie sous lequel ils s'étaient blottis et s'engouffrèrent à l'intérieur du véhicule, les chaussures et une partie de leurs vêtements trempées par la pluie qui n'avait pas cessé de tomber un seul instant depuis le milieu de la matinée.

La douce chaleur régnant dans l'habitacle les réconforta aussitôt.

— Alors ? Tout s'est bien passé ? s'enquit Helen.

— Oui, comme d'hab', répondit Eliot.

— Tu as retrouvé tes amis ?

— Mmm mmm.

— Tu as M. Lanister en prof principal ?

— Mmm mmm.

Helen ajusta le rétroviseur pour capter le regard de Susan, assise sur la banquette arrière.

— Et toi, Susan ?

— C'était bien.

Aurait-elle pu trouver une réponse plus affligeante de banalité ? Si elle voulait qu'Helen continue à s'intéresser à elle, il lui faudrait se remuer un peu les méninges.

— Les profs sont plutôt sympas et il y a une autre nouvelle dans ma classe, ajouta-t-elle.

— Ah oui ? Comment s'appelle-t-elle ?

— Joana. Elle vient de Newquay...

— Oh, tout près de chez moi !

Susan s'était doutée que ce détail lui plairait. Sourire aux lèvres, Helen démarra la voiture.

— Je suis contente que tu te sois fait une amie dès le premier jour, dit-elle.

Susan faillit rétorquer que Joana était gentille, rigolote et aussi perdue qu'elle au milieu de cette immense école, mais qu'elle n'était pas son amie. Pourtant, elle se tut. Ça semblait faire tellement plaisir Helen de le croire.

Dès la porte d'entrée franchie, Eliot se débarrassa de sa combinaison spéciale et la jeta sur une chaise. En jean et sweat, il n'avait plus rien du garçon bizarroïde qui attirait l'attention et les questionnements partout où il se trouvait.

Malgré son air épuisé et leurs tourments communs, Susan se dit qu'il était drôlement mignon. Vraiment. Il la sentit l'observer, le regard qu'il lui retourna la surprit par son intensité. Mais elle réussit à le soutenir, jusqu'à ce qu'un sourire réciproque les réconforte l'un et l'autre.

Helen leur avait préparé un généreux goûter auquel Eliot toucha à peine. Susan lisait la fatigue sur ses traits. Elle en connaissait la terrible cause et s'en inquiétait. Helen, elle, ne paraissait pas spécialement alarmée.

— Ah, ça, on peut dire que les profs n'ont pas traîné pour nous donner une tonne de devoirs ! ronchonna le garçon en quittant la table.

— Alors filez et travaillez bien ! les encouragea Helen.

Les deux ados gravirent l'escalier à toute vitesse. Lorsque Eliot ouvrit sa porte de chambre, Susan le suivit. Spontanément.

Le garçon se laissa tomber sur son lit, bras et jambes écartés.

— J'en peux plus...

Le ton qu'il venait d'employer avait tout l'air d'une profonde plainte.

Susan s'assit au bord du lit.

— Tu vas tenir bon, hein ? demanda-t-elle.

Elle avait beau tout faire pour la chasser, l'image du corps d'Eliot, inerte et émacié, dans la petite chambre chez Alfred se rappelait sans cesse à son souvenir. De même que la terreur de voir disparaître le garçon tel qu'il lui apparaissait au quotidien. Et au-delà, de le voir mourir.

Pour toute réponse, il lui attrapa la main. Sa poigne n'était pas très ferme, mais le besoin de contact était bien réel. Alors Susan s'allongea à côté de lui.

Ils se regardèrent et une renversante sensation de chaleur envahit Susan. Eliot éprouvait-il cela, lui aussi ? Elle aurait aimé le lui demander. Mais jamais, au grand jamais, elle ne s'y serait risquée.

— Alors, raconte... dit-il.

Un tendre sourire étirait ses lèvres pâles.

— Bof, rien de spécial, c'était la rentrée, quoi...

— Susan ?

Il avait raison de douter de sa désinvolture. Il commençait à bien la connaître.

— Notre *ami* Morris s'est tenu tranquille, c'est déjà ça de gagné, fit-elle.

— C'est sûr ! Malheureusement, ça risque de ne pas durer.

— Mmm.

Cette fois, c'est elle qui resserra sa main autour de celle d'Eliot.

— Tu sais que tu as fait beaucoup d'effet à Stuart ? enchaîna le jeune homme.

Susan fut persuadée qu'elle rougissait et qu'Eliot ne voyait que cela.

— Tu le trouves comment ? poursuivit-il.

Face à son silence, il insista :

— Alors ? Tu le trouves comment ?

— Je ne sais pas, moi !

— Comment ça, tu ne sais pas ? Tu le trouves beau ? sympa ? drôle ? irrésistible ? Tu as bien un avis ?

— Sympa, se força-t-elle à répondre. Je le trouve sympa.

— Lui, il te trouve super jolie.

Ils restèrent côte à côte sur le lit pendant un moment, dans le calme de la chambre. L'abat-jour crème de sa lampe de chevet leur conférait à tous deux une peau dorée.

— Est-ce que tu as une certaine Mme Dawn comme prof ? fit soudain Susan.

— Mme Dawn ? Non. Pourquoi ?

— C'est ma prof principale, anglais et sport.

— Et ?

— Et j'ai l'impression de la connaître. Mais je me trompe peut-être. À force, on a tendance à voir le mal partout...

— Mais le mal est partout, Susan !

Ces mots disant, Eliot se redressa.

— Tu crois que...

— Je n'en sais rien, le coupa-t-elle. J'espère que non. Parce que j'ai au moins dix heures de cours par semaine avec elle.

Eliot bondit du lit et entreprit de fouiller dans un placard. Au bout de quelques secondes, il brandit un album à la couverture ornée de lettres d'or.

— Qu'est-ce que c'est ?

— L'annuaire de Machan's School, l'édition de l'année dernière. Il y a toute la vie de l'école, là-dedans, les grands événements, le nom et la photo de tous les élèves et de tous les profs. Si Mme Dawn se trouve dans la liste, on pourra la dégager de tout soupçon.

— Par contre, si elle n'y est pas...

— Ça voudra dire qu'elle est nouvelle…

Il rejoignit Susan sur le lit et, assis en tailleur à côté d'elle, feuilleta les pages.

La recherche fut brève.

— OK, souffla-t-il en refermant bruyamment l'annuaire. Ne nous emballons pas, ça ne signifie peut-être rien. Elle n'est sûrement pas la seule nouvelle…

— C'est bon, Eliot, fit Susan d'une voix blanche. Il fallait s'y attendre, non ?

Il lança un juron.

Puis il s'agenouilla. Se pencha en avant. Prit le visage de Susan entre ses mains en coupe.

Et l'embrassa.

23.

Helen les trouva tous deux installés au bureau d'Eliot, studieusement concentrés sur leurs devoirs. Son cœur s'attendrit, son regard se fit plus fondant, plus délicat.

— Nous passerons à table dans un quart d'heure, chuchota-t-elle depuis le seuil de la chambre.

— Ça marche ! lança Eliot.

— D'accord ! renchérit Susan.

Helen se retira sans faire de bruit, le sourire aux lèvres.

Lorsque les deux ados la rejoignirent dans la cuisine, elle leur trouva l'air fatigué. Eliot semblait économiser ses gestes, Susan le surveillait du coin de l'œil. Ou plutôt *veillait sur* lui, comme une véritable sœur.

Quelle chance qu'ils s'entendent si bien ! pensa Helen.

— Les premiers jours de classe sont toujours un peu difficiles, fit-elle en coupant une appétissante pizza. Demain, vous commencerez tous les deux une cure de vitamines !

Susan se demanda ce qu'on allait encore l'obliger à avaler. Comme s'il lisait dans son esprit, Eliot lui adressa une mimique lui rappelant que c'était comme ça chez les Hopper.

Ils dînèrent tranquillement, avec en arrière-fond la radio et le crépitement du poêle à bois qu'Helen avait allumé, l'humidité était si envahissante. Elle respecta leur mutisme en ne leur posant pas les mille et une questions qui taraudaient toute mère digne de ce nom un jour de rentrée scolaire. Au lieu de cela, elle s'attarda sur des informations sans grande importance, le retour de Mme Pym au manoir, le recrutement d'un jardinier pour le gros œuvre, le coup de fil de James – il reviendrait le week-end prochain de son voyage en Corée, enfin ! –, le rendez-vous pris chez le dermatologue d'Eliot…

— Quoi ? la coupa brutalement le garçon.

— Le dermato… ta visite de contrôle… précisa Helen, étonnée par la réaction de son fils.

— Quand ?

— Dans deux semaines.

Elle surprit le regard échangé par les deux ados. Qu'est-ce qui leur prenait ? Eliot allait régulièrement chez le dermato depuis qu'il était petit. Il n'y avait rien d'extraordinaire.

— Quand exactement ? la pressa-t-il sur le même ton cassant.

— Le 12, après les cours. Je l'ai noté sur le calendrier.

— Mais d'habitude, j'y vais tous les deux mois ! Pourquoi as-tu avancé la date ?

— Je ne te trouve pas très en forme.

Bien qu'évasive, la réponse d'Helen était pourtant explicite. Premier à en être conscient, Eliot pouvait difficilement cacher qu'il n'allait pas bien. Il lui suffisait de se regarder dans un miroir pour comprendre ce qui avait motivé sa mère à anticiper son rendez-vous : une pâleur spectrale, un regard fiévreux, des cernes violacés et cette fatigue accablante qui se manifestait dans chacun de ses gestes, pour peu qu'on y prête un minimum d'attention.

— C'est à cause de la rentrée, le changement de rythme... tenta-t-il d'expliquer. Rien de dramatique.

Helen ne renchérit pas. Inutile d'insister ou de chercher à lui faire changer d'avis, la discussion était close.

Seule Susan percevait et partageait la panique du garçon. Il ne faudrait pas plus d'une minute au médecin pour s'apercevoir du *petit* problème de son ami. Un cas qui dépassait largement les limites de la science.

Elle vit ses lèvres bouger sans qu'aucun son en sorte. Là, coincée à table, elle ne pouvait rien faire pour le rassurer. De son côté, les pensées déboulaient dans sa tête comme une avalanche et se fracassaient tout en bas, au niveau de sa conscience la plus immédiate.

J'ai deux semaines pour tuer onze démons.

La situation pouvait-elle être plus dramatique ? Certainement pas.

– Tu ne m'en veux pas si je monte me coucher ? marmonna Eliot.

– Bien sûr que non ! s'exclama Helen.

– Je suis crevé.

– C'est normal !

– Je vais débarrasser, proposa Susan.

Super diversion !

– Non, je t'en prie Susan, laisse ! s'opposa Helen. Cette journée est un peu spéciale, il faudra quelques jours pour retrouver le rythme... Allez dormir.

– Bonne nuit, m'man.

– Bonne nuit, Helen.

– À demain, les enfants.

Ils filèrent en direction de l'escalier.

– On est foutus, murmura Eliot.

– Je t'interdis de dire ça ! siffla Susan entre ses dents.

Il accéléra la cadence. Mais Susan se cala sur son rythme pour rester à son niveau.

– On a perdu, dit-il.

– Ça ne va pas la tête !

– Il faut se rendre à l'évidence...

– Non.

– Quoi, non ?

— Non, il ne faut jamais se rendre. Ni à l'évidence ni à personne ! Tu m'entends ?

Elle tremblait d'indignation, de colère, de peur.

— Tu crois que je n'ai pas eu des centaines de raisons de me rendre au cours de ma vie ? poursuivit-elle d'une voix étranglée. Est-ce que je l'ai fait ? Non ! Et pourquoi, à ton avis ? Parce que je n'ai jamais voulu capituler !

Elle chercha à capter son regard, mais il scrutait le bas de l'escalier, anxieux qu'Helen puisse les entendre. Au lieu de répondre à Susan, il l'entraîna dans sa chambre.

Assis au bord du lit, il se prit la tête entre les mains.

— Ce n'est pas ce que j'ai voulu dire… Jamais je ne remettrai en cause ce que tu as subi, tu le sais bien, dit-il.

Elle s'assit devant lui, à même le sol, les jambes pliées sur le côté. La stupéfaction d'avoir implosé ainsi l'étourdissait. Ses pommettes et le bout de ses doigts fourmillaient, il lui semblait que sa tête avait du mal à tenir droit et qu'elle tanguait au sommet de son cou comme une lourde boule de bowling en équilibre.

— Là, c'est juste un peu plus compliqué, se risqua à faire remarquer Eliot.

— C'est vrai que deux semaines, ça passe très vite.

— Surtout pour venir à bout de onze démons…

En dépit de ce qu'elle venait de dire un instant plus tôt, Susan sentit sa détermination se fendiller.

Reprends-toi ! Reprends-toi tout de suite ! Tu veux rester chez les Hopper, oui ou non ? Oui ? Alors, tu fais ce qu'il faut.

– Tu crois qu'il y a un moyen de gagner du temps du côté du dermato ?

– Oui, je pense que c'est possible, je vais trouver.

Susan planta son regard vairon dans celui d'Eliot, dépité. La petite flamme, si étrange mais désormais familière, y brillait avec ardeur. Le garçon y trouva une certaine force. Il se redressa et inspira à fond tout en palpant les bandes de tissu bleu autour de ses poignets.

– Et dès demain, on met les bouchées doubles ! s'exclama Susan. On ne va quand même pas laisser le passé gâcher tout notre avenir…

24.

L'inaction de Morris et des autres démons, identifiés ou non, n'avait rien de rassurant, bien au contraire. En côtoyant dans les couloirs de Machan's celui qui était à l'origine de la malédiction, Eliot et Susan ne s'attendaient pas à ce qu'il reste aussi distant, voire indifférent à leur présence. Susan en fut d'ailleurs si troublée qu'elle ne put suivre qu'en pointillé les cours de la matinée. Toute sa concentration était absorbée par ces fractions de seconde où, le matin même, elle avait croisé le regard limpide, presque transparent, de son ancêtre.

Était-elle la seule à éprouver cette sensation de glaciation de ses os, du sang dans ses veines, des nodules de son cerveau dès que Morris se tenait à proximité ? Apparemment oui. Les filles et les garçons qui gravitaient autour de lui semblaient le trouver intéressant, charmant et très drôle.

– Populaire, le démon... ironisa Eliot en l'observant au moment du déjeuner.

— Il faudrait que j'arrive à le coincer quelque part et que je lui plante ma dague dans le cœur, murmura Susan.

Les yeux écarquillés, Eliot se pencha vers elle.

— Tu l'as sur toi ?

Susan releva le bas de son pull et de son polo. On n'en voyait que le manche, finement ciselé, une tige de rosier hérissée d'épines, mais la dague était bien là.

— Ne t'avise pas de faire quoi que ce soit sans moi, hein !

— Si l'occasion se présente, je ne peux pas me permettre de la manquer, souffla Susan.

Le regard d'Eliot se fit douloureux.

— Sa mort interromprait tout, on serait aussitôt libérés, ajouta-t-elle.

— Il faut absolument que je suggère à ma mère de t'acheter un téléphone portable. Comme ça, tu pourras me prévenir et je rappliquerai aussitôt.

Susan faillit lui rappeler combien ce serait dangereux pour lui. Sans parler du fait qu'il ne pourrait lui être d'aucune aide – du moins physiquement. Quelques semaines plus tôt, elle n'aurait eu aucun scrupule à lâcher ce genre de choses, sur le ton qui allait avec : franc mais impitoyable. Aujourd'hui, elle s'en trouvait incapable.

Stuart et Joana arrivant à leur table, ils durent abandonner leur étrange conversation et s'engager sur une autre, beaucoup plus légère. Quoique…

— Vous le connaissez, le grand de dernière année assis là-bas ? demanda soudain Joana.

— Lequel ? Le roux avec la longue mèche ? s'enquit Eliot.

— Non, le blond à côté de lui.

Évidemment… qui d'autre que le séduisant et irrésistible Morris Hamilton-Rosebury… pensa aussitôt Susan.

— Non ! répondirent en chœur les deux ados.

— Je le trouve super beau, soupira Joana.

Elle se tourna vers Susan.

— Pas toi ?

— Bof… Un peu pâlot à mon goût.

Susan était assez fière de la distance qu'elle avait – pour une fois ! – réussi à mettre dans sa façon de réagir.

Avant de la quitter pour rejoindre sa classe, Eliot lui adressa un dernier avertissement.

— Si tu ne sens pas le cours de sport avec Dawn, tu n'y vas pas ! Feins un truc, genre maux de ventre ou de tête, et file à l'infirmerie. Ne prends aucun risque. D'accord ?

— D'accord, fit Susan.

C'est sans entrain qu'elle suivit ses camarades de classe jusqu'au gymnase, à l'arrière du bâtiment principal. Elle se changea, sans un regard ni un mot pour les autres, et mit le survêtement estampillé de l'écusson de Machan's School.

Mme Dawn les attendait, souriante, dynamique. L'échauffement fut l'occasion pour Susan de commencer à chercher des indices sur la vraie nature de la professeur.

Elle n'avait absolument rien récolté quand Mme Dawn constitua les équipes.

– Allons, allons, il me faut encore quatre volontaires ! s'exclama gaiement cette dernière.

Susan se fit toute petite sur les gradins. Elle n'aimait pas vraiment le volley, ni aucun sport collectif, d'ailleurs. Deux garçons et une fille finirent par se lever pour rejoindre les autres joueurs, à contrecœur.

– Toi, viens ! fit Mme Dawn en pointant le doigt sur Susan.

La jeune fille se figea.

– Moi ? dit-elle bêtement.

– Oui, toi ! De toute façon, vous passerez tous sur le terrain !

Susan descendit les quelques marches. D'une démarche mécanique, elle s'avança sur le terrain et se positionna. La partie pouvait commencer.

* * *

À son issue, rien dans le comportement de Mme Dawn n'avait indiqué quoi que ce soit de douteux. Elle n'avait pas accordé à Susan plus d'attention qu'aux autres élèves. Elle avait relevé ses fautes, l'avait encouragée de la même façon.

Pourtant, Susan continua de l'observer avec la même acuité méfiante pendant que l'autre moitié de la classe évoluait à son tour sur le terrain.

Et soudain, le souvenir déchira son esprit comme un éclair.

Un des tableaux. Dans le corridor du rez-de-chaussée. Au manoir.

La professeur n'y figurait pas en survêtement comme aujourd'hui. Elle n'avait pas cette coupe au carré ni ce rouge à lèvres nacré. Non.

Elle portait une robe victorienne typique, au col raide et montant, aux abondants jupons sous la taille de guêpe. Ses cheveux étaient longs à cette époque, de belles boucles châtains sagement rassemblées en arrière. Si Susan se souvenait bien – et maintenant elle n'avait plus aucun doute –, un homme et un garçonnet se tenaient à ses côtés.

Sur leur visage, l'air grave des Rosebury.

Des Rosebury du XIXe siècle.

Susan se sentit éjectée hors de tout ce qui l'entourait. Elle entendait le brouhaha, les cris, les rebonds sourds du ballon sur le parquet, les coups de sifflet de Mme Dawn, épouse Rosebury. Mais elle n'avait plus l'impression physique d'être encore là, dans le gymnase qui sentait la transpiration et le désinfectant.

Ce n'est pas comme si tu ne t'en doutais pas. Alors ne panique pas.

Le match sembla mettre des heures à se terminer. Quand la professeur siffla enfin la fin de la partie, la jeune fille se précipita vers les vestiaires des filles, suivie par ses camarades aux joues rouges et brillantes.

— Ho ho, pas si vite !

Susan ferma les yeux. Sa main droite se porta spontanément sur la gauche. Elle forma un bourrelet de peau entre le pouce et l'index et le tordit violemment. Elle déglutit et refoula ses larmes.

— Il me faut deux d'entre vous pour m'aider à ranger le matériel, s'il vous plaît ! héla Mme Dawn.

Devant le peu d'enthousiasme, elle fit elle-même son choix :

— Eh bien, ce sera le garçon et la fille les plus prompts à vouloir partir ! Venez ! Venez donc !

Tout le monde s'écarta pour laisser passer un garçon dénommé Morgan.

Et Susan.

25.

Quelques retardataires finissaient de s'habiller en papotant dans le vestiaire lorsque Susan poussa la porte. Chancelante, glacée, elle se dirigea vers son casier et récupéra ses affaires d'un geste automatique. Elle se hâta, en dépit de son engourdissement. Hors de question de rester seule dans ce gymnase avec Mme Dawn encore dans les parages !

Elle retira son pantalon de survêtement et s'assit sur le banc central, ôta ses baskets, ses chaussettes et son tee-shirt qu'elle fourra dans son sac de sport. Puis elle remit prestement son uniforme.

Elle se sentait perdue.

Il ne s'était rien passé. Rien du tout. Que devait-elle penser ? Se serait-elle trompée ? Ou bien n'était-ce qu'un répit, le jeu pervers des démons pour mettre ses nerfs en vrac ?

Les filles avaient quasiment terminé de se coiffer et enfilaient leur veste. Susan était la dernière. Elle laça ses Converse, vite, et s'engagea à la suite de ses camarades dans le couloir. Les plafonniers s'éteignaient au fur et à mesure, créant un tunnel obscur et menaçant dans son dos. Elle ne chercha pas à savoir si c'était dû à un système automatique ou bien à une manœuvre humaine et pressa le pas, tout en serrant son sac contre elle.

Alors qu'elle avait presque rattrapé les autres filles, un bras jaillit soudain de l'embrasure d'une porte à moitié ouverte et la tira violemment à l'intérieur d'une pièce sombre.

Puis tout sembla se passer en accéléré.

Elle n'eut pas le temps de crier : celui ou celle qui venait de l'intercepter avait plaqué la main sur sa bouche. Elle reconnut la terrible morsure du froid émanant des non-vivants et sentit presque aussitôt une méchante douleur sur la tête.

Elle s'effondra dans les bras de son agresseur.

* * *

Elle revint à elle avec un sentiment de panique comparable à celui qu'elle avait déjà pu éprouver auparavant. Elle se força à ne pas ouvrir les yeux. Tant qu'elle les gardait fermés, elle avait encore l'espoir de ne pas se trouver dans une situation hors de contrôle.

Quelle illusion... Qu'est-ce que tu crois ? Qu'on t'a assommée comme ça, pour rien ?

Elle se savait allongée, apparemment sur le sol d'un endroit frais et moite, d'après ce qu'elle percevait. Se retrouver seule dans le cimetière de ses cauchemars éveillés était ce qu'elle redoutait plus que tout.

Il n'y a plus aucune raison, se sermonna-t-elle. *Les esprits du clan de ta mère sont désormais enfermés dans ta tête et les autres… les autres sont dans la réalité…*

Les yeux toujours clos, elle continua son analyse. La texture douce et poussiéreuse d'une terre battue, le riche parfum d'une végétation humide, le hululement d'une chouette au loin… On l'avait certainement amenée dans une forêt, un sous-bois.

Une goutte d'eau s'écrasa sur son front. Elle poussa un petit cri de surprise et ouvrit les yeux, par pur réflexe.

La première chose qu'elle vit, ce fut un dôme de branches noires se détachant dans le ciel en clair-obscur. Sa respiration s'accéléra. Il faisait nuit, elle était donc là depuis plusieurs heures. Helen et Eliot devaient être morts d'inquiétude. Plus que toute autre chose, c'était cette pensée qui la transperçait comme une flèche empoisonnée.

Elle tourna la tête avec précaution. Des murs de pierre délabrés l'entouraient, les vestiges de ce qui avait sûrement été une maison, il y a bien longtemps. La blanche clarté de la lune lui permettait de voir les fougères, les mousses et la végétation grimpante qui avaient pris possession de l'ancienne bâtisse et l'avaient ensevelie au sein de la forêt.

L'espace s'éclaira soudain d'une lumière dorée vacillante. Susan aperçut une silhouette féminine de dos, accroupie dans un des coins de la pièce, en train d'allumer une lampe à huile.

Deux visages firent irruption dans son champ de vision. Elle ne distinguait pas leurs traits, mais devinait facilement leur identité. Elle se redressa, non sans porter la main à sa ceinture. Son cœur fit une embardée. La dague n'était plus là !

— Alors, Susannnn... murmura Daniel Hamilton.

Susan se crispa, toujours aussi irritée par la façon fielleuse qu'avait cet homme honni de prononcer son prénom.

— Alors quoi ? se surprit-elle à répliquer.

Morris lui donna un coup dans l'épaule tandis qu'elle se redressait. Elle chancela, mais soutint le regard de son « jeune » ancêtre, figé dans ses dix-sept ans depuis plus de trois siècles.

— Je suis aussi tenace que toi, fit-elle avec défi. Une vraie petite Rosebury !

Le visage de Morris se fendit d'un sourire dur.

— Sans doute seras-tu moins sûre de toi lorsque tu rentreras dans ton joli petit manoir, grinça-t-il.

Susan se sentit émoussée de l'intérieur comme sous l'effet d'un acide corrosif. Elle s'efforça de ne rien montrer.

— Je me demande ce que cette chère Helen Hopper va penser...

Morris laissa sa phrase – et Susan – en suspens. L'anxiété poussa la jeune fille à scruter autour d'elle, à la recherche d'un réconfort qu'elle savait inexistant. Mme Dawn, Jane Sharpe... les neuf femmes du clan des non-morts non-vivants étaient là, en arc de cercle, bras le long du corps, soumises et fantomatiques.

— Bien sûr, elle sera sincèrement soulagée de t'avoir retrouvée, poursuivit Morris de sa voix tranchante. Pourtant, est-ce que ce sera suffisant pour lui faire oublier la colossale déception que tu lui auras causée ?

Susan brûlait d'envie de savoir de quoi Morris pouvait bien parler. Mais pas la peine de donner à ce démon et à ses sbires une raison supplémentaire de se rengorger de cette répugnante satisfaction. Il lui suffisait d'imaginer le pire.

Elle toisa Morris d'un air frondeur, puis son père. Daniel ne se déparait pas de ce sourire fixe et malveillant qui donnait à la jeune fille l'envie de lui foncer dessus et de le voir disparaître à tout jamais.

Elle évita cependant de diriger à nouveau son regard vers l'ombre qu'elle venait d'entrapercevoir, l'espace d'un instant, perchée sur le mur derrière les démons.

Elle aurait reconnu cette silhouette entre mille. Un regain de bravoure chassa instantanément le désespoir qui commençait à la scléroser.

Elle ne chercha pas à comprendre pourquoi la lumière s'éteignit subitement. Ni à savoir comment sa dague se retrouva entre ses mains.

Lame en avant, elle fonça.

26.

Susan regarda les yeux de la femme rousse s'agrandir de stupéfaction. Daniel n'avait pas hésité à placer son alliée et ancêtre devant lui comme un bouclier pour éviter le coup fatal que sa fille s'apprêtait à lui porter.

Susan retira sa dague du cœur déjà mort. Le corps s'effondra sur le sol. Un tourbillon de cendres, de terre, de feuilles mortes s'enroula aussitôt dans un mugissement guttural. Au milieu de cette tourmente, des cris. Douleur ? Terreur ? Menace ? Susan n'aurait su le dire.

Brutalement plaquée sur le sol, elle crut qu'un des démons venait de se jeter sur elle.

— Lâchez-moi ! hurla-t-elle en se débattant.

— N'aie pas peur, c'est moi, miss Susan !

La voix d'Alfred lui apporta un réconfort immédiat. Elle cessa de résister, alors que le tourbillon redoublait de violence, soulevant de terre des branches, des pierres, et griffant tout ce qui se trouvait autour.

— Ne bouge pas !

Susan obéit, alors que le vieil homme les ensevelissait sous… une bâche ? une tente ? Quoi que ce puisse être, c'était très efficace, en tout cas.

Un déluge s'abattit sur eux. Ils en sentaient les impacts malgré l'épaisseur de leur protection. Pourvu qu'elle résiste !

Puis tout s'arrêta. Le silence revint, épais comme la nuit au fond de cette forêt.

Alfred les débarrassa précautionneusement de ce qui s'avérait être une cape de pluie, fourrée d'un lainage écossais. Il se mit debout, aida Susan à faire de même. Enfin, il alluma une petite lampe torche, tirée d'une des innombrables poches de sa veste de pêche.

Il ne restait plus rien que les murs délabrés et la terre battue, nettoyée de tous ses débris par le tourbillon. Les démons n'étaient plus là, le corps de la femme rousse non plus. À la pensée que ses cendres s'étaient disséminées sur elle, Susan secoua ses cheveux et se frotta le visage. La dague tomba sur le sol dans un petit nuage de terre poussiéreuse.

— Bravo, miss Susan ! s'exclama Alfred. Une harpie de moins !

Loin de se réjouir, Susan peinait à retrouver son calme. Tout s'était passé très vite, avec une violence choquante, là, au fond d'une forêt en pleine nuit. Elle venait de tuer quelqu'un. Un démon, certes. Mais l'acte n'en demeurait pas moins traumatisant.

— Elle était une victime, elle aussi... murmura-t-elle en fixant l'endroit où le corps de la femme s'était effondré, quelques instants plus tôt.

La mine d'Alfred se fit plus sombre.

— Mon père l'a sacrifiée pour se protéger ! souffla-t-elle, la respiration courte. Tu te rends compte ? C'était son ancêtre, sa grand-mère ou son arrière-arrière-grand-mère, ou peu importe... Mais à ses yeux, elle n'était rien d'autre qu'un bouclier !

Au bord des larmes, lèvres entrouvertes pour trouver l'air qui lui manquait, elle avait l'impression de se recroqueviller de l'intérieur.

— Viens là, ma petite fille...

Les bras d'Alfred lui parurent immenses tant elle se sentit enveloppée – de chaleur, de bienveillance.

— Je sais combien tout cela est terrible pour toi, dit-il doucement. Moi aussi, j'ai dû tuer, pendant la guerre. Même quand on y est obligé et que sa propre survie en dépend, c'est quelque chose d'épouvantable.

Sa voix semblait sur le point de se briser.

— De leur vivant, ton père et ses ancêtres étaient de bonnes personnes, j'en suis convaincu, reprit-il. Et c'est ce que tu dois garder dans ton cœur.

Il la serra encore plus fort contre lui.

— Ceux que tu as à combattre ne sont plus des êtres humains. Tu as fait ce qu'il fallait, miss Susan. Et tu l'as fait avec brio !

— Il faudra que je le refasse. Dix fois.

Alfred prit le visage de la jeune fille entre ses mains abîmées et plongea ses yeux dans les siens.

— Tu n'es plus seule au monde, dit-il. Ne l'oublie pas. Eliot, moi, tes gardiens, là, dans ton esprit et dans ton cœur… Nous sommes avec toi. D'accord ?

— D'accord.

Il la pressa encore un peu contre lui avant de se dégager. Puis il se baissa pour ramasser la dague qu'il lui tendit.

— Tiens, c'est à toi. Et maintenant, il est temps que nous retournions à la maison.

C'est en quittant ce lieu maudit que Susan comprit où elle avait été amenée. Sans surprise, elle reconnut l'amas de pierres couvert de végétation. Le petit pont branlant qui menait au chemin, dans le sous-bois. Elle était déjà venue en compagnie d'Eliot et de Georgette dans cette partie oubliée de la forêt, sur la propriété des Hopper. Son intuition ne l'avait pas trompée ce jour-là : il y avait bien quelque chose à cet endroit. Peut-être l'origine du problème. Et sa résolution.

— Alfred ?

— Oui, ma petite fille ?

— Comment tu as su que j'étais là ?

— Au départ, j'ai cru que j'avais la berlue quand j'ai vu la lumière qui sortait des arbres. Une sorte de signal venant de l'intérieur de la forêt ? me suis-je demandé. Un appel qui m'était destiné ? J'étais fichtrement intrigué, surtout après ce qui s'était passé. Alors, ni une ni deux, j'ai foncé. Je n'ai eu qu'à me laisser guider jusqu'à cette ruine où je t'ai trouvée en bien fâcheuse compagnie.

— Ce signal... c'était quoi ?

Alfred ralentit, jusqu'à s'arrêter complètement. Il écarta les bras et les leva très haut, comme pour s'étirer. Avec sa cape sur le dos, il ressemblait à une énorme chauve-souris. Lorsqu'il laissa retomber ses bras le long du corps, ses bracelets émirent un joli petit tintement. Étrangement, Susan pensa à la Fée Clochette et fronça les yeux.

Tu n'as pas plus bizarre comme comparaison ?

— Ce signal venait de ta mère et des Rosebury protecteurs, ma très tendre enfant ! s'exclama Alfred. C'est absolument évident ! Eux ne pouvaient sans doute pas agir, alors ils m'ont alerté.

— Et la dague ?

— Figure-toi que je l'ai trouvée au milieu du pont de pierre, juste avant d'arriver à la ruine ! Gageons que ce fut, là aussi, un petit coup de pouce de notre chère Emma.

Ils se remirent en marche, cheminèrent laborieusement sur l'étroite bande de terre qui serpentait entre les arbres et les buissons, jusqu'à ce que la lisière apparaisse, enfin.

— Nous y voilà... fit Alfred.

Au vu de l'emplacement de la lune à travers les nuages, il devait être deux ou trois heures du matin.

Les fenêtres du rez-de-chaussée du manoir étaient éclairées. L'inquiétude dans laquelle son absence avait dû plonger Eliot et Helen devint encore plus réelle pour Susan.

Sa propre angoisse l'empêcha d'avancer.

— Dis-moi ce que tu sais, Alfred, murmura-t-elle.

L'hésitation du vieil homme provoqua en elle un douloureux vertige.

— Dis-moi ce qu'Helen sait, corrigea-t-elle.

— En ne te voyant pas revenir à la sortie des cours, elle est allée se renseigner auprès des surveillants. C'est alors que Mme Dawn est arrivée pour relater ce qu'elle avait *soi-disant* entendu...

— Et ?

Susan eut l'impression que le ciel, la lune, la nuit lui tombaient sur la tête lorsque Alfred lui raconta. Les paroles de Morris prenaient tout leur sens. La déception d'Helen devait être si grande. Comment faire pour rattraper les dégâts qui venaient d'être causés ?

— Hé, miss Susan ! Nous n'allons pas nous laisser abattre !

Alfred lui secouait les épaules avec tant de vigueur que sa tête ballottait dans tous les sens.

— Rien n'est perdu, voici ce que nous allons dire, écoute-moi bien...

27.

Par la fenêtre où il faisait le guet depuis des heures, Eliot fut le premier à voir Susan et Alfred dans le parc. Il poussa un cri qui fit sursauter sa mère. Fou de soulagement, il se précipita au-devant d'eux.

Susan faillit tomber à la renverse quand le garçon se jeta sur elle. Il la serra contre lui avec une force dont elle ne l'aurait jamais cru capable.

— J'étais en train de mourir d'inquiétude, souffla-t-il à son oreille.

Susan le regarda d'un air désolé. Ses mots étaient terribles, leur double sens la meurtrissait.

— Ça va ? Tu n'as rien ? poursuivit Eliot.

— Attention, mes jeunes amis, Mme Parfaite arrive… les prévint Alfred.

Au-delà de l'épuisement, l'expression sur le visage d'Helen dévoilait un profond désarroi. Eliot s'écarta à son approche. Contre toute attente, elle prit Susan dans ses bras et, du plat de la main, elle attira sa tête au creux de son épaule. Susan perçut l'écho des battements de son cœur, si rapides, et en fut ébranlée.

Helen avait eu peur. Elle était heureuse de la retrouver. Plus qu'heureuse : bouleversée.

Susan frissonna. Elle ne tenait plus sur ses jambes. Le choc de ce qui s'était passé et le long retour au manoir dans la fraîcheur de la nuit avaient raison de ses dernières résistances.

– Rentrons au chaud… fit Helen.

À sa voix, on aurait dit qu'elle n'avait pas parlé depuis des jours et que ses cordes vocales étaient prêtes à se rompre.

– Venez avec nous, Alfred, ajouta-t-elle à l'intention du vieil homme.

Elle mit son bras autour des épaules de Susan et l'entraîna vers le manoir, Eliot et Alfred à ses côtés. Tout en marchant, elle sortit son portable de sa poche et pressa sur une touche.

– Allo, inspecteur ? Oui… Helen Hopper à l'appareil, pardonnez-moi de vous appeler en pleine nuit… Oui, elle est revenue… Elle est ici, avec nous… Oui, c'est une merveilleuse nouvelle… Merci… Merci à vous…

Susan comprit que la police avait commencé à mener des recherches pour la retrouver. Que se serait-il passé si on l'avait découverte face aux onze démons ? Ou lorsqu'elle était en train de plonger sa dague dans le cœur de la rousse ?

Ce n'est pas arrivé. Alors, n'y pense pas.

Une fois dans la cuisine, Helen s'affaira à la confection de chocolat chaud et de thé. Ses gestes étaient brusques, son regard embué et fuyant. Assis au bout de la table, Alfred ne savait quelle contenance prendre. Quant à Eliot, il cherchait des réponses dans les yeux de Susan.

La jeune fille ne pouvait pas parler. Alors, profitant de ce qu'Helen avait le dos tourné, elle saisit une petite cuiller et mima l'action de se la planter dans le cœur. Puis elle leva son pouce.

— Une femme ou un homme ? articula Eliot du bout des lèvres.

Susan lui répondit sur le même mode.

— Alfred, vous prenez bien deux sucres dans votre thé ? lança soudain Helen d'une voix toujours aussi cassée.

— Oui, merci, Helen, répondit le grand-père.

L'attitude d'Helen désarçonnait tout le monde. Mais à situation exceptionnelle, comportement exceptionnel…

Elle finit par s'asseoir face à Susan et la dévisagea d'un air réellement douloureux. À l'évidence, elle attendait des réponses que Susan peinait à donner, malgré sa longue expérience du mensonge.

— Je suis désolée… murmura la jeune fille.

— Pourquoi as-tu fait cela, Susan ? renchérit Helen. Tu… tu n'es pas bien ici ?

Susan sentit le regard d'Alfred sur elle. C'était maintenant que tout se jouait. Elle leva les yeux vers Helen et la dévisagea, surprise et candide.

— Si ! Bien sûr que si ! se défendit-elle avec d'autant plus de conviction qu'elle le pensait vraiment.

— Alors pourquoi as-tu fait cela ? répéta Helen.

— Ce n'est pas ma faute ! Je jure que ce n'est pas ma faute !

Le soupir de lassitude que lâcha Helen donnait un très mauvais tournant à la discussion. Les mains sous la table, Susan tordit méchamment la peau de son poignet.

Helen prit sa tasse dans la paume de ses deux mains en coupe, comme pour se réchauffer. Ou contenir ses nerfs.

— Susan… fit-elle. Tu as plus de quatorze ans. C'est un âge où l'on doit commencer à assumer ses actes et leurs conséquences. Donc, je te le demande une dernière fois : pourquoi as-tu fait cela ?

Les yeux de Susan se remplirent de larmes. Le ton doctoral d'Helen, ses inflexions agacées, son regard blessé… Les démons avaient peut-être perdu l'une d'entre eux au cours de cette terrible nuit, mais ils avaient également marqué un sacré point dans leur volonté de saboter la vie de Susan.

— Pourquoi tu as fugué ? s'écria soudain Eliot.

Depuis qu'Alfred lui avait révélé la ruse perverse de Mme Dawn, la colère de Susan n'était pas retombée et sa frustration n'avait fait que gonfler dans son esprit et dans son cœur. Comment se défendre de quelque chose qu'elle n'était pas censée savoir ? Mais l'intervention de son ami était le signe qu'elle attendait. Elle allait enfin pouvoir contre-attaquer !

Elle fixa Eliot comme s'il venait de lancer la plus énorme absurdité qu'elle ait jamais entendue.

— Fugué ? Mais je n'ai pas fugué ! Je me suis perdue en voulant rendre service à une fille de ma classe !

Helen en lâcha sa tasse.

— Qu'est-ce que c'est que cette histoire ? marmonna-t-elle.

C'est le moment ! s'encouragea intimement Susan. *Vas-y, lâche tout !*

— À la fin du cours de sport, il pleuvait des cordes. Comme j'étais une des seules à avoir un parapluie, une fille de ma classe m'a demandé si je pouvais l'accompagner chez son prof de piano, de l'autre côté de Thornshill. Elle ne voulait pas arriver complètement trempée. Il me restait une heure avant qu'Eliot sorte, je me suis dit que j'aurais largement le temps. Mais en voulant revenir à Machan's, je me suis perdue…

Helen se frotta le visage. Son regard exprimait une douleur différente, plus douce.

— J'ai voulu couper à travers le bois pour aller plus vite, poursuivit Susan. Je n'ai pas retrouvé mon chemin.

Elle prit un air contrit. Au fond d'elle, c'est pourtant la culpabilité du mensonge qui la dévorait. Mais elle n'avait pas le choix. Et le soulagement d'Helen, au fur et à mesure qu'elle parlait, faisait tant de bien. Tout n'était pas perdu, loin de là.

— J'ai tourné en rond pendant un moment, et puis la nuit est tombée. Je crois que je me suis de plus en plus enfoncée dans la forêt au lieu de me rapprocher de Thornshill.

Elle plongea ses yeux dans ceux d'Helen en espérant lui communiquer toute la peur qu'elle avait éprouvée, celle de se retrouver face à onze démons s'étant juré de lui pourrir la vie jusqu'à ce qu'elle en meure.

Helen, elle, y vit autre chose. La terreur d'une jeune fille égarée dans la forêt en pleine nuit.

— Après que tu m'as appelé pour me demander si Susan était chez moi, j'ai décidé d'aller jeter un œil dans la forêt, intervint Alfred en se tournant vers sa belle-fille. J'ai retrouvé notre miss errant à plus de deux kilomètres de la lisière.

Voilà, fin de l'histoire ! se félicita la jeune fille.

— Seigneur... murmura Helen.

— Je suis vraiment désolée d'avoir inquiété tout le monde, dit Susan. J'ai été stupide.

— Non ! s'écria Helen. C'est nous qui avons été stupides de croire...

Elle n'arrêtait pas de secouer la tête comme pour chasser les pensées qui l'embarrassaient.

— Tu vois, je t'avais dit que c'était complètement débile ! enchaîna Eliot. Susan ne pouvait pas avoir fait ça !

Le garçon fit signe à son amie qu'elle ne devait plus s'inquiéter, tout revenait dans l'ordre.

Puis, s'adressant directement à elle :

— Ta prof, Mme Dawn, a expliqué qu'elle t'avait entendue parler de pétage de plombs et de fugue. Tout le monde s'est aussitôt calé sur cette version sans imaginer un seul instant que ça pouvait être autre chose.

Avec mon passif, c'était la solution de facilité... faillit répliquer Susan.

Elle rassembla ce qui lui restait d'énergie pour se taire et feindre ce qu'elle ne ressentait pas.

En arrêt, sourcils froncés, rictus et regard interloqué, elle lâcha enfin :

— N'importe quoi !

Avant de conclure dans un souffle :

— Il faudrait que je sois dingue pour faire un truc pareil.

En croisant le regard de la mère d'Eliot, Susan comprit qu'elle venait de gagner cette bataille. Quelque chose s'opérait sur les traits du visage d'Helen et au fond de ses yeux. Une sorte de dissolution, d'évaporation de ce qui l'avait tant tourmentée pendant ces dernières heures.

— Demain, tu restes avec moi à la maison, annonça cette dernière. Et quand tu seras reposée, nous irons t'acheter un téléphone. Cela devient plus qu'important.

— Ça, c'est sûr ! acquiesça Eliot.

Un téléphone. Pour moi. Elle ne m'en veut pas. Elle a vraiment envie que je reste ! pensa Susan.

— Quant à cette Mme Dawn, elle va m'entendre ! marmonna Helen.

Susan avait envie de lui dire de laisser tomber. Les démons avaient échoué ce soir. Pas la peine de les provoquer davantage.

— Mais pour le moment, nous allons tous nous coucher, fit Helen. Nous en avons bien besoin...

Elle se leva, mettant un terme définitif aux retrouvailles. Eliot, Susan et Alfred l'imitèrent. Depuis que le grand-père avait fait irruption dans le parc avec Susan, personne ne l'avait véritablement regardé. Mais sous l'éclairage du plafonnier, il parut soudain vieilli. Ratatiné comme un pruneau tout sec.

Il s'éloigna en direction de l'entrée, avec le poids du monde sur ses épaules affaissées. Depuis le salon où elle sommeillait sur un coussin, Georgette leva la tête en le voyant passer et remua la queue en signe de reconnaissance.

— Salut à toi, le petit molosse, chuchota Alfred. Rendors-toi, va.

Il avait l'air si misérable que Susan ne put se retenir : elle se précipita vers lui. Il se retourna et reçut pratiquement de plein fouet la jeune fille qui enroula les bras autour de son cou.

Ils se serrèrent l'un contre l'autre, sans dire un mot. Puis Alfred se dégagea doucement.

— Alfred ?

Helen se tenait au pied de l'escalier, à l'autre extrémité du hall d'entrée.

— Oui, Helen ?

— Merci.

Alfred hocha la tête, brièvement, et sortit. La porte se referma en grinçant derrière lui, alors que sa silhouette voûtée se fondait peu à peu dans la nuit.

28.

Eliot abattit sa main sur le réveil qui sonnait. Encore quelques minutes avant de se lever. Il se tourna sur le côté et regarda Susan, toujours endormie.

Elle avait pris l'habitude de le rejoindre chaque nuit, d'abord en réaction à l'agression de Morris, puis par envie, par besoin. Tous deux le savaient bien.

Ils dormaient côte à côte, comme des enfants fragiles et apeurés. Le sommeil d'Eliot n'avait pas la profondeur de celui de Susan. Aussi passait-il de longs instants à la contempler, à réfléchir, à laisser ses songes l'emmener au-delà de ce présent si chaotique.

Elle s'agitait souvent, empêtrée dans des cauchemars et des angoisses nocturnes. Il lui prenait alors la main ou se rapprochait d'elle, doucement, juste pour la rassurer. Lui faire comprendre, à travers la frontière de son inconscient, qu'il était là, constant, fidèle. Parfois, des mots sortaient dans un souffle, toujours les mêmes.

Je t'aime...

Chaque fois, il réprimait un frisson en espérant que Susan n'avait rien entendu.

Ce matin, comme d'autres déjà, c'est pourtant ce qui arriva. Elle feignit d'être toujours plongée dans son sommeil. Que devait faire une fille allongée près d'un garçon lorsque celui-ci disait cela ? Elle n'en avait aucune idée. Le regarder avec des yeux troublés et battre des cils ? Très peu pour elle. Lui sourire ? L'embrasser ? Les filles du Home où elle avait passé tant d'années racontaient mille et une choses à ce propos. Elle connaissait tous les détails anatomiques et mécaniques d'un baiser. D'ailleurs, Eliot l'avait déjà embrassée. Mais elle avait été si surprise qu'elle se trouvait incapable de dire ce qu'elle en avait retenu. Il lui semblait que c'était doux. Et chaud. Et un peu embarrassant, aussi. Elle se sentait tellement gauche.

– C'est l'heure ? fit-elle en faisant mine de se réveiller.

– Oui. Mais toi, tu peux encore dormir, veinarde.

– Je vais retourner dans ma chambre.

– D'accord. Attends, je te couvre...

Eliot entrouvrit la porte, jeta un coup d'œil à droite, un coup d'œil à gauche.

– C'est bon !

Susan traversa le couloir à pas de loup et s'engouffra dans sa chambre. Juste avant qu'elle ne ferme sa porte, elle entendit Eliot la héler.

— Tu tiens bon, hein ?

— Oui, répondit-elle.

— On va y arriver !

Elle lui fit un simple signe de la tête et ferma sa porte. Plantée au milieu de sa chambre, en pyjama, elle hésita entre s'habiller tout de suite ou bien se recoucher. Elle ne mit pas longtemps à prendre sa décision et plongea sous sa couette.

La journée pouvait bien attendre pour commencer vraiment.

* * *

Le vrombissement de la voiture parvint jusqu'à elle. Helen emmenait Eliot à Machan's, puis elles passeraient la journée toutes les deux, en tête à tête.

Quelques secondes plus tard, le trottinement des pattes de Georgette sur le parquet se fit entendre. Suivi d'un grattement frénétique contre la porte de la chambre. Susan se leva pour lui ouvrir, la petite chienne se précipita, frétillante.

— Salut, toi !

La joie de Georgette décupla lorsque Susan la gratifia de caresses. Elle prit son élan pour bondir sur le lit mais, étourdie par le bonheur de retrouver la jeune fille – et gênée par le volume de son corps –, elle échoua et roula sur le sol.

Susan ne put s'empêcher de rire aux éclats.

— Qu'est-ce que tu es marrante, ma petite grosse !

Elle la prit dans ses bras et s'allongea avec elle sur son lit. *Ma* petite grosse... La chienne la regarda de ses gros yeux si gentils et Susan fondit. Elle plongea son visage dans le pelage couleur sable.

— On va y arriver, hein, *ma* Georgette ?

La chienne remua la queue, tout en tentant de léchouiller Susan. Puis elle s'endormit d'un coup, comme frappée par une fatigue irrépressible.

Susan sourit tendrement.

— Ça doit être trop bien d'être une Georgette...

Elle resta un moment ainsi, la joue contre le flanc tiède de l'animal. Ses pensées l'entraînèrent inévitablement vers les événements de la nuit, trop frais pour être déjà à l'état de souvenirs. Elle secoua la tête. Penser à ce qui s'était passé ne servait à rien. Il valait mieux se concentrer sur le futur.

Le futur très très proche... car il y a urgence !

Eliot ne survivrait que si elle parvenait à tuer les démons. À la moyenne étourdissante d'un par jour. Ou presque.

— Comment je vais faire ? gémit-elle.

Même si elle avait eu seulement l'ébauche d'une réponse, elle n'aurait pas eu le temps d'y réfléchir davantage : Helen était déjà de retour. Susan laissa Georgette ronfler sur son lit et passa dans la salle de bains, attenante à sa chambre. Elle trouva affreux son reflet dans le miroir.

Une vraie mine de déterrée.

Une fois lavée et habillée, elle décida de rejoindre Helen, dont la voix résonnait depuis le salon. Elle s'arrêta néanmoins au milieu de l'escalier dès lors qu'elle l'entendit prononcer son nom.

— Je sais que Susan a des antécédents assez lourds, mais j'estime qu'il est injuste et indélicat de la part d'un professeur, en l'occurrence Mme Dawn, d'avoir décrété qu'elle avait fait une fugue... Non, monsieur le directeur, Mme Dawn n'a pas fait une *déduction malencontreusement hâtive,* comme vous le dites... Écoutez, j'étais là, je n'ai pas rêvé... Elle était absolument sûre de ce qu'elle affirmait... C'est irresponsable de la part d'un adulte, qui plus est appartenant au corps enseignant... Très bien, je compte sur vous... Merci... Oui, à bientôt.

Le silence revint. Susan n'osait plus bouger. Si par malheur une marche craquait, Helen s'en rendrait compte et comprendrait alors qu'elle avait tout entendu.

Comme un gong salvateur, le téléphone sonna.

— Oui ? retentit à nouveau la voix d'Helen.

Susan n'écouta pas la conversation, apparemment plus anodine cette fois-ci. Elle descendit l'escalier à toute vitesse et ne ralentit l'allure qu'une fois en bas. Elle passa devant la porte du salon grande ouverte et fit un petit signe de la main à Helen, qui le lui rendit avec un sourire.

Cette dernière la rejoignit dans la cuisine alors qu'elle se préparait un chocolat.

– Bonjour, Susan, comment vas-tu ?

– Bonjour… Ça va, merci.

La jeune fille sentit le regard d'Helen sur elle, à l'affût du signe infime qui confirmerait ou contredirait ce qu'elle venait de dire.

– Tu as repris des forces ?

– Oui, je crois.

Elle but son chocolat pendant qu'Helen se faisait un café. Devait-elle lui dire qu'elle la trouvait très jolie dans cette robe bleu foncé ?

– Susan ? Tout va bien ?

Comme prise la main dans le sac, Susan se retourna pour laver sa tasse dans l'évier.

Ho ! Calme-toi ! Pourquoi tu paniques, espèce d'idiote ?

– Elle est jolie, cette robe… dit-elle sans la regarder.

– Oh, merci ! Je l'aime beaucoup moi aussi, je devrais la mettre plus souvent !

Tu vois, ce n'était pas si compliqué.

– Et toi ?

– Moi ?

– Oui… Tu ne mets jamais de robe ou de jupe ? s'enquit Helen. Je ne parle pas de celle de ton uniforme, bien sûr.

– Euh… non. Enfin, c'est déjà arrivé.

– Chez les familles qui t'accueillaient ?

Susan faillit lui dire combien elle détestait cette association entre les mots « famille » et « accueil » qui, si souvent, n'avaient rien eu à voir.

Au lieu de cela, elle ouvrit les vannes.

— Si, j'ai déjà eu des robes. Mais elles étaient vraiment moches, avec des volants ou des manches qui serraient. Elles ont mal fini...

Mais pourquoi tu dis ça ? hurla-t-elle dans sa tête.

Au lieu de s'étonner ou d'être effrayée, Helen sourit.

— Tu veux dire qu'elles ont terminé en lambeaux ?

— C'est à peu près ça, oui.

À nouveau, un sourire d'Helen.

— Mais j'ai eu une jupe quand j'avais onze ans ! poursuivit Susan.

Elle était interloquée d'être capable d'avoir ce genre de discussion après cette affreuse nuit. Interloquée, bouleversée et follement heureuse.

— Une jupe que tu aimais bien porter ? demanda Helen.

— Oui, je l'adorais !

— Elle était comment ?

— Courte, en jean, avec des poches derrière et devant.

— Je suis sûre que ça t'allait très bien. Si tu veux, nous pourrons essayer d'en trouver une...

— Mmm.

Helen s'approcha pour laver sa tasse, elle aussi. Son parfum flotta jusqu'à Susan, l'enveloppa, atteignit son cœur et le pétrit jusqu'à l'attendrir, doucement mais entièrement.

— Mais pour l'heure, il te faut un téléphone !

29.

Si on avait dit à Susan qu'elle allait passer une des plus délicieuses journées de toute sa vie, elle aurait haussé les épaules en marmonnant « ça m'étonnerait ».

Quelques heures plus tôt, elle plantait une dague séculaire dans le cœur d'un démon. Et maintenant, elle se promenait dans les rues de la ville au côté d'Helen.

Elles n'avaient pas de conversations effrénées. Elles échangeaient peu de mots, mais n'en éprouvaient aucune gêne. Au magasin de téléphonie, Susan acquiesça à tout ce qu'Helen proposait et écouta les explications du vendeur d'une oreille qu'elle savait peu attentive. Peu importait, Eliot se ferait un plaisir de lui montrer toutes les subtilités de l'appareil.

Puis Helen l'entraîna dans un minuscule restaurant libanais plein à craquer. Une première pour Susan, qui apprécia tout spécialement le houmous[1] et le poulet mariné[2].

– Enfin quelqu'un qui me comprend dans cette famille ! s'exclama Helen en voyant Susan se régaler du gâteau imbibé d'eau de fleur d'oranger[3].

Puis, sur le ton de la confidence :

– Eliot et James n'aiment pas la cuisine orientale…

Son regard se perdit un instant, un peu triste. Susan se dit qu'elle devait être bien seule, parfois.

Elles dégustèrent leurs pâtisseries incroyablement sucrées, burent du thé à la menthe dans des verres colorés, puis firent quelques boutiques, achetèrent une écharpe en soie rose poudre pour Helen, un tee-shirt imprimé d'une silhouette d'extraterrestre pour Eliot, des petites boîtes de cirage à chaussures pour James, un sachet de bonbons au miel pour Mme Pym.

Et une jupe en jean pour Susan. Mille fois plus belle et plus stylée que celle qu'elle avait eue, quelques années plus tôt.

Sacs au bras, elles se rendirent enfin dans une parfumerie – encore une première pour Susan.

Pendant une fraction de seconde, la jeune fille craignit qu'Helen n'ait décidé de changer

---

1. Purée de pois chiches.
2. *Chich taouk*.
3. *Namoura*.

de parfum. Heureusement, elle ne cherchait qu'une crème.

Elle n'y entendit que du charabia lorsque Helen énonça à la vendeuse ce qu'elle désirait. Son assurance l'impressionnait, la déférence des autres à son égard, également. Au-delà de sa beauté et de sa prestance, sa seule présence imposait un respect naturel. Susan s'en rendait bien compte. Et elle en éprouvait un stupéfiant sentiment de fierté.

Cette femme, c'est Helen Hopper, c'est ma mère !

Voilà ce qu'elle aurait adoré crier à la vendeuse qui lui donnait des échantillons, à cet homme qui la regardait du coin de l'œil un peu plus loin, à ces ados qui pulvérisaient du parfum sur leur poignet en riant.

— Susan ? Qu'en dis-tu ?

— Hein ?

Elle rougissait, elle en était persuadée. Comme elle devait avoir l'air plouc... Les gens devaient se demander comment une femme aussi classe pouvait avoir une fille pareille. « Les chiens ne font pas des chats... » disait souvent Mme Glazer, de la septième famille d'accueil.

— Ce parfum te plaît ? poursuivit Helen. Il fait fureur auprès des jeunes filles en ce moment.

Elle secoua une bandelette de papier devant elle. De nouveaux effluves s'imposèrent au milieu de tous ceux dont la parfumerie était saturée. Susan pensa aussitôt à des fleurs sucrées, en se demandant si cette combinaison était possible. « C'est la même chose qu'avec les gens, certaines essences ne s'aiment pas... » Susan se souvenait d'avoir entendu ces paroles de la bouche d'Emma, sa mère originelle. Elle se souvenait aussi des heures passées à jouer à ses côtés, tranquillement assise sur un tapis, pendant qu'Emma s'affairait autour de ses innombrables fioles et éprouvettes.

Susan n'était alors qu'une minuscule fillette, mais elle connaissait déjà les principales essences, vanille, rose, jasmin, orange, menthe... Sa préférée était la bergamote, qu'elle prononçait *bégamote*, ce qui faisait toujours rire sa mère.

— Tu aimes ? lui demanda Helen.

— Ça sent très bon, oui.

L'afflux inattendu de ses souvenirs troublait Susan. Toutefois, elle avait bien conscience de la banalité de sa réponse et s'en irritait.

— Violette et cardamome, murmura-t-elle.

— Pardon ? fit Helen.

— Il y a de la violette et de la cardamome dans ce parfum.

Helen et la vendeuse parurent au moins aussi étonnées qu'elle-même l'était. Elle tempéra en prenant un air hésitant :

— Non ?

— Tout à fait ! s'exclama la vendeuse. Tu es douée, dis donc, un vrai nez !

Helen la regardait avec une drôle d'expression, mélange de stupéfaction et de joie.

— Tu veux l'essayer ?

— Oui, dit Susan.

La vendeuse pulvérisa une brume de parfum sur le poignet de Susan.

— Tu me fais sentir ?

La requête d'Helen remplit Susan d'un bonheur étrange. Elle tendit son poignet. Helen inclina la tête avec une telle douceur que la jeune fille aurait voulu que cet instant dure des heures.

— Je crois que c'est *le* parfum qu'il te fallait !

Puis, se tournant vers la vendeuse :

— Nous le prenons.

Le parfum capta l'attention et les sens de Susan pendant tout le trajet du retour. De temps à autre, elle levait son poignet et humait discrètement. Elle n'avait pas l'impression de l'avoir vraiment choisi et pourtant, elle l'adorait.

Dans le silence de l'habitacle, elle ne sut ce qui la poussa à lâcher ces quelques mots :

— Ma mère était parfumeuse.

Helen garda les yeux rivés sur la route. Susan aussi, d'ailleurs. Comment allait réagir Helen ? Que pouvait-elle dire ?

— Voilà qui explique bien des choses ! fit-elle enfin.

Sa voix avait retrouvé ce voile un peu spécial qui l'assourdissait. Au fond d'elle, Susan souhaitait ardemment qu'elle ne l'interroge pas. Elle ne se sentait pas en état de donner des détails sur ses souvenirs qui l'agitaient tant.

Helen ne lui demanda rien. Susan en fut soulagée.

Encore quelques kilomètres de routes tortueuses au cœur de la lande et elles arriveraient à Thornshill.

— Eliot ne va pas tarder à sortir, nous n'aurons pas beaucoup à l'attendre, déclara Helen. J'en profiterai pour aller acheter du pain.

— Oui.

Susan déplorait la brièveté de ses réponses. Mais que pouvait-elle dire d'autre ?

Il restait un quart d'heure avant que ne sonne l'arrêt des cours de l'après-midi. Helen gara la voiture sur le petit parking, à l'endroit habituel.

— Je reviens, tu m'attends ?

— D'accord.

Susan la regarda s'éloigner vers la boulangerie et se laissa aller contre l'appuie-tête, légèrement nauséeuse après les nombreux lacets de la route.

Quand, soudain, on toqua à la vitre de sa portière.

Elle se retrouva quasiment nez à nez avec Daniel Hamilton.

30.

Le premier réflexe de Susan fut de verrouiller les portières. D'autant plus qu'elle n'avait pas sa dague sur elle.

Pourtant, elle se ravisa et baissa la vitre. Daniel se pencha pour se mettre à son niveau. En dépit du sourire malfaisant qu'il affichait crânement, elle lui trouva le teint crayeux, les yeux caves, mauvaise mine.

– Bonjour, ma petite Susan...

Elle resta muette, se contentant de le toiser de son regard qu'elle savait animé de la singulière flamme.

– Tu ne dis pas bonjour à ton père ? poursuivit-il.

Exhalaisons d'humus détrempé et de feuilles en décomposition, son haleine parvint jusqu'à Susan et raviva la nausée qui avait presque réussi à disparaître.

– Je n'ai plus de père. Il est mort.

Daniel grimaça un autre sourire.

— Nous n'en avons pas encore fini, toi et moi, ma fille.

— Bientôt ! assena Susan.

Elle-même s'étonnait de se sentir aussi forte.

— Daniel ! retentit la voix d'Helen.

Le temps de se redresser et Daniel Hamilton avait retrouvé son attitude charmeuse.

— Helen, quel plaisir de vous croiser à nouveau !

Il porta à ses lèvres la main qu'elle lui tendait. Geste qui la rendit confuse et que Susan considéra comme une provocation inutile. Elle les écouta papoter sur la météo, la fraîcheur relative du pain à cette heure de la journée, la rentrée scolaire...

— Mais toi, jeune fille, tu n'es donc pas en classe ? s'exclama le démon.

Helen ne laissa pas à Susan le temps de répondre.

— Nous avions à faire toutes les deux, fit-elle sur un ton n'admettant pas que ce sujet soit davantage débattu.

Non loin, les premiers élèves commençaient à sortir. La rue résonna rapidement des échos de leurs voix, de leurs cris, de cet enthousiasme bruyant et communicatif qui pourtant ne réussissait pas à gagner Susan.

— J'ai terminé ce que vous m'aviez demandé, reprit Daniel. Vous pouvez passer le chercher demain, si vous voulez.

— Oh, c'est parfait ! s'exclama Helen. L'après-midi, cela vous conviendrait ?

— Absolument !

Susan tourna la tête. Hors de question de donner à Daniel le plaisir de contempler l'ampleur de son désarroi.

La portière arrière s'ouvrit et Eliot s'engouffra dans la voiture, sans même que sa mère et Daniel, trop occupés à poursuivre leur bavardage, s'en aperçoivent.

— C'est quoi, ce bazar ? Qu'est-ce qu'il fiche là, lui ? chuchota-t-il.

— Tu devrais claquer ta portière bien fort, lui suggéra Susan.

C'est ce qu'il fit. Helen se retourna, aperçut son fils et prit rapidement congé de Daniel.

— Tout va bien ? demanda-t-elle en lui jetant un coup d'œil dans le rétroviseur.

— Oui, ça va.

Une fois à la maison, débarrassé de son attirail, il apparut tendu et fatigué. Fragile, sur le fil, fantomatique. Il remercia sa mère pour le tee-shirt, but le soda qu'elle lui apporta, raconta sa journée de cours d'un ton morne. Il ne retrouva un peu de vivacité qu'au moment où Susan lui montra la jupe qu'Helen lui avait offerte.

— Tu devrais la mettre.

— Il a raison, ajouta Helen.

La jeune fille en vint presque à regretter d'avoir parlé de ça. Mais comment refuser ce que tous deux la pressaient de faire ?

Elle grimpa dans sa chambre et s'observa longuement dans le miroir après avoir revêtu la fameuse jupe. Elle lui allait encore mieux que dans le magasin. Elle était parfaite.

Helen discutait avec Mme Pym dans la cuisine quand elle redescendit. Elle se faufila jusqu'au salon où, clairement, Eliot l'attendait. Il l'observa des pieds à la tête, et elle en éprouva autant de plaisir que de confusion.

— T'es super jolie.

Ces mots tombèrent sur elle comme des flocons de coton. Des petites plumes aussi douces que l'air, le vent, les rayons du soleil.

— Merci, murmura-t-elle.

— De rien. C'est vrai. Et c'est justifié.

Elle se jeta dans un fauteuil et ramena ses jambes contre elle. Une position peu pratique avec une jupe, mais la seule qui lui permette de se sentir moins embarrassée.

— Joana m'a donné la liste du travail à faire pour demain, enchaîna Eliot. Apparemment, tu n'as pas manqué grand-chose.

— Tant mieux !

Il tira de son sac, posé à côté de lui, une feuille qu'il tendit à Susan. Elle dut se lever, décida que ce n'était pas grave, que la jupe n'était qu'une jupe et que ça n'avait rien d'exceptionnel d'en porter une.

— Morris ne s'est pas approché de toi, j'espère ! fit-elle en se rasseyant.

— Non. Il fait comme s'il ne me connaissait pas.

— Un vrai psychopathe.

— Oui, je trouve ça plus flippant que s'il se comportait comme un type qui m'en veut, à me fixer ou à me bousculer quand je le croise dans les couloirs.

— C'est parce que justement, il ne t'en veut pas.

Eliot leva sur elle un regard fatigué.

— Eh ben, qu'est-ce que ça serait si c'était le cas…

— Ce n'est pas ce que j'ai voulu dire ! se récria Susan.

Le sourire sans joie sur le visage de son ami lui pinça le cœur. Elle avait envie de le prendre contre elle et de le serrer très fort. Au lieu de le faire, elle ajouta :

— C'est moi que Morris cherche à atteindre. Toi, tu n'es qu'un moyen.

Une fois de plus, elle se trouva maladroite et brutale. Ses lèvres se mirent à trembler, de même qu'une de ses paupières, lorsqu'elle murmura :

— Pardon.

— Non, tu as raison ! marmonna Eliot. Mais changeons de sujet… Tu sais ce que ma mère et Daniel se sont dit ? Tu les as entendus parler ?

— Elle doit passer récupérer quelque chose qu'elle lui a commandé.

Il sembla manquer d'air, soudain.

— Mais qu'est-ce que ça peut bien être ?

— Je ne sais pas, marmonna Susan. Un truc en verre.

Elle se maudit de sa réponse. Évidemment... Que pouvait-on commander d'autre à un souffleur de verre ?

Eliot, lui, était au-delà de ces considérations. Il toucha nerveusement une des bandes de tissu bleu autour de ses poignets.

— On ne peut pas la laisser faire ça !

— Comment l'en empêcher ?

Ils réfléchirent tous deux, face à face dans leur fauteuil, échangeant de temps à autre un regard fiévreux. Susan mit son cerveau en branle. Échafauder des scénarios avait été sa spécialité pendant toutes ses années au Home !

— On pourrait demander à Alfred de feindre un malaise pour que ta mère s'occupe de lui !

— Ouais... pas mal... admit Eliot. Mais elle serait capable de juste appeler le médecin.

— Tu crois ?

Eliot fit « oui » de la tête. Georgette se dandina jusqu'à lui, une peluche entre les dents.

— Non, ma petite grosse, cette fois, tu ne peux pas nous aider. Mais c'est gentil quand même de le proposer, fit-il en lui caressant l'échine.

Des pas résonnèrent dans le hall. Helen apparut bientôt à l'entrée du salon.

— Ah, vous êtes là !

Puis, les observant d'un air curieux :

— Qu'est-ce que vous êtes en train de comploter ?

— On ne complote pas, on discute ! répondit Eliot.

Helen fronça les sourcils. Et comme chaque fois, Susan s'inquiéta.

Il faut que tout se passe bien, pria-t-elle dans son esprit.

— Je plaisantais, mon chéri. Vous venez dîner ?

Susan se leva. Le visage d'Helen s'éclaira à la vue de la jupe en jean.

— On arrive, fit Eliot.

— Ne tardez pas, c'est prêt !

Susan attendit qu'elle se soit éloignée et chuchota précipitamment à l'oreille de son ami :

— Fais très attention : tu n'es au courant de rien, d'accord ? Ne me grille pas.

— Promis. Mais je te préviens, je vais tout faire pour empêcher ça.

31.

Susan surveilla les réactions d'Eliot du début à la fin du dîner. Elle le sentait nerveux, à l'affût du moment où il pourrait lancer l'opération « Empêchons Helen d'aller chez Daniel ! ».

Mais ce moment ne se présenta pas. La conversation tourna autour des profs et d'une polémique attisée par les médias sur un point précis du programme d'histoire. Rien ne permit à Eliot d'enchaîner sur ce qui les préoccupait tant, Susan et lui.

Au milieu du dessert, Helen reçut un coup de fil de son mari. Leur discussion fut entrecoupée de silences auxquels Helen fit écho, en rougissant, par des murmures discrets. Susan ne lui connaissait pas cette facette.

Bien entendu, James voulut parler à Eliot, ensuite à Susan qui ne sut que lui dire. Surtout lorsqu'il lui demanda si elle survivait à l'autoritarisme de sa femme…

— Oui, ça va, bredouilla-t-elle.

Elle n'était pas habituée à ce que les adultes plaisantent avec elle. James était si taquin qu'elle avait du mal à réagir de façon adéquate. Pourtant, elle se surprenait à être impatiente de le revoir et de faire réellement sa connaissance – jusqu'alors, il avait été plus absent que présent.

Les deux ados dormirent encore plus mal que d'habitude. Susan fit un cauchemar dans lequel son pied était entravé par un piège à loups dont les dents crantées lui mordaient la chair et les os. Elle se réveilla en sueur, oppressée par ces images. Eliot lui prit la main, comme il savait si tendrement le faire.

Puis le petit matin arriva.

Petit déjeuner et préparatifs à la hâte. Pendant qu'Eliot et Susan mettaient leurs chaussures, Helen sortit la voiture du garage et l'avança jusqu'au perron.

Il ne fallait pas très longtemps pour se rendre du manoir à l'école. Quelques minutes pour trouver l'occasion ultime de dissuader Helen d'aller chercher ce fichu truc en verre.

Alors, Eliot attaqua très vite.

– Tu vas faire quoi aujourd'hui ? lança-t-il à sa mère.

– Oh, rien de bien exaltant, des courses au supermarché, des livres à rendre à la bibliothèque…

Susan et Eliot suspendirent leur souffle. Amener Helen à dire ce qu'ils souhaitaient entendre s'avérait plus que compliqué.

— Il faut également que j'aille à la quincaillerie chercher un petit ciseau à pierre pour mes sculptures, j'en ai perdu un, Dieu seul sait où il est passé.

Ce n'était pas vraiment l'information que les deux ados attendaient.

— Et puis je dois aller chez Daniel Hamilton...

Enfin ! s'écria intérieurement Susan.

Même si rien n'était gagné – loin de là –, la situation se débloquait et elle se sentait déjà libérée d'un grand poids.

— Pour quoi faire ? rebondit Eliot.

— Mais ça ne te regarde pas, jeune homme !

Ne dis pas ce que tu sais ! Je t'en supplie, Eliot ! implora Susan.

— Tu as conscience que ça ne se fait pas ? grinça le garçon.

— Qu'est-ce qui ne se fait pas, Eliot ? demanda Helen.

— Ça !

— Mais quoi ? Exprime-toi clairement, s'il te plaît !

— Une femme qui va chez un homme qu'elle connaît à peine !

Cette fois, la patience policée d'Helen se métamorphosa en un agacement flagrant.

— Premièrement, je ne vais pas « chez » un homme que je connais à peine, je vais dans l'atelier d'un artisan qui fait commerce de ce qu'il fabrique.

— Et deuxièmement ? la provoqua Eliot.

— Deuxièmement, ce que je fais et qui je vois ne te regarde absolument pas !

Eliot laissa passer quelques secondes avant d'attaquer de plus belle :

— J'ai le droit de trouver que ça craint.

— *Ça craint ?* s'offusqua Helen. Mais qu'est-ce qui *craint* ?

— M'man, ce type te drague comme un malade !

— Bien sûr que non !

— Bien sûr que si ! Et toi, tu vas chez lui, *seule* ! Tu te rends compte de ce que vont penser les gens ?

La situation n'aurait pas été si grave, Susan aurait applaudi ce coup de maître. Jouer sur la mauvaise conscience, quoi de mieux ?

De fait, Helen parut ébranlée. Elle rétrograda assez vivement, la main crispée sur le levier de vitesse.

— Les gens ne vont rien penser du tout, martela-t-elle.

— Les gens pensent toujours des tas de choses, surtout dans une petite ville comme Thornshill, tu le sais bien ! Moi, en tout cas, ça me dérange que ma mère rende seule visite à un homme qui cherche à la mettre dans son lit !

Susan croisa le regard d'Helen dans le rétroviseur et s'efforça de prendre un air consterné en voyant ses yeux plissés de gêne.

— Eh bien, mon fils, j'espère que tu seras un peu moins macho avec ta femme, le jour où tu en auras une !

— Vouloir protéger l'honneur de sa mère, ce n'est pas être macho, marmonna Eliot.

Helen se mordilla les lèvres et rétorqua avec froideur :

— Ne te fais pas de souci pour moi, mon honneur n'est pas en péril, il n'a pas besoin d'être protégé.

Comme Eliot, Susan comprit que la partie était perdue. De toute façon, Machan's School apparaissait déjà dans leur champ de vision.

— Allons, ne fais pas la tête... dit Helen à son fils. Je t'assure que tu n'as aucune raison de t'inquiéter.

Eliot ajusta sa cagoule et saisit son sac. Sans un mot, sans un regard, il sortit de la voiture et claqua la portière, un peu plus brutalement qu'il ne l'aurait fait en temps normal.

Helen soupira. Susan avait presque de la peine pour elle. Eliot venait de la mettre dans une situation si désagréable. C'était pour la bonne cause, oui. Mais c'était aussi très injuste.

Et pour la deuxième, peut-être troisième fois de sa vie, Susan éprouva un profond et bouleversant sentiment de compassion.

32.

Susan dut courir pour rattraper Eliot. À sa démarche, n'importe qui pouvait deviner qu'il était de mauvaise humeur. Susan savait qu'il était surtout déçu. Et très inquiet.

— Daniel ne lui fera rien, lui souffla-t-elle en marchant à ses côtés.

— Tu parles ! Il ne se gênera pas s'il estime que ça peut l'aider à obtenir ce qu'il veut !

Un méchant vertige ébranla Susan. Eliot avait raison, elle le savait bien. Et un jour, il finirait par lui en vouloir. Peut-être était-ce déjà le cas. Il était possible qu'il s'en veuille à lui-même également. En manœuvrant comme il l'avait fait pour qu'elle vienne vivre au manoir, il avait laissé le malheur entrer dans sa famille. Au point de risquer sa propre vie.

Il marchait vite. Trop. À vouloir se caler sur son rythme, Susan commençait à s'essouffler. Ses poumons brûlaient, ses jambes lui paraissaient lourdes et raides, l'anxiété pesait des tonnes. Eliot ne semblait même pas s'apercevoir qu'il était en train de la distancer. Il finit pourtant par se retourner. Comme c'était frustrant de ne rien pouvoir lire sur son visage…

— Ça va ? demanda-t-il.

Son intonation s'était nettement adoucie. Mais pas suffisamment pour combler la béance douloureuse dans le cœur de Susan.

— J'ai été très nul sur ce coup, fit-il.

— Quoi ?

— Ma mère… Je l'ai brusquée. J'aurais dû m'y prendre autrement.

D'un coup d'épaule, il remit son sac d'aplomb.

— J'ai tout fait rater.

— Il n'y avait pas dix mille façons d'aborder le problème, s'empressa de le consoler Susan. Tu as fait de ton mieux. Moi, je t'ai trouvé très convaincant dans le rôle du fils ultra-protecteur.

Souriait-il sous sa cagoule ? Susan se le demandait.

Ne te fais pas d'illusions, se corrigea-t-elle. *Il doit plutôt grimacer.*

— Bon, allez, à tout à l'heure… dit-il en faisant volte-face.

* * *

Susan avait beau tenter de dédramatiser, elle ne parvenait pas à se rassurer.

L'impression d'être en train de tout perdre la taraudait. Une pensée se faisait plus insidieuse que les autres : et si Eliot en venait à regretter d'avoir croisé son regard, un jour de printemps, dans cet orphelinat au fin fond de l'Écosse ? C'était peut-être déjà le cas, d'ailleurs. Bientôt, il la détesterait pour tout le mal qu'elle trimballait avec elle.

La fille du diable. Ce surnom n'avait jamais été aussi juste.

Préoccupée, elle esquiva la compagnie de Joana, pourtant si gentille et avide de devenir son amie, et la laissa en plan au moment de la pause. Enfermée dans un box aux toilettes, elle s'assit sur la cuvette et attendit que le temps passe. Quelques minutes de tranquillité, illusoires mais nécessaires. Son anxiété était si tenace qu'elle ne se rendit même pas compte qu'elle se pinçait violemment les avant-bras. Des marques rouges s'imprimaient déjà sur sa peau, barrées de l'empreinte des ongles qui s'enfonçaient. Compression, torsion, douleur… La peau meurtrie finit par laisser perler une goutte de sang, minuscule, bientôt métamorphosée en un fin filet.

Susan tira du papier-toilette du dérouleur et ne réussit qu'à étaler le sang en voulant le nettoyer. Elle imprégna de salive un nouveau morceau de papier et parvint à effacer le plus gros des traces rouges. Mais elle aurait des marques, c'était certain.

La sonnerie annonça la reprise des cours. Susan leva un regard désespéré vers le verrou de la porte, son seul barrage avec cette réalité qu'elle n'avait pas du tout envie de retrouver. Il le fallait, pourtant. Elle rabaissa la manche de sa marinière, puis celle du polo de son uniforme, et sortit de son box.

Il lui sembla que des élèves la détaillaient bizarrement lorsqu'elle parcourut le couloir pour rejoindre sa classe. Elle crut même entendre des chuchotements à son propos, sans toutefois pouvoir distinguer nettement quoi que ce soit.

Tu deviens parano, ma pauvre fille. Les gens n'en ont rien à fiche de toi et c'est tant mieux !

Pourtant, cette impression se renforça dès qu'elle pénétra dans la classe. La grande majorité des élèves étaient occupés à sortir leurs affaires et à terminer les conversations commencées pendant la pause. Mais certains lui jetèrent un regard qu'elle trouva hostile.

Elle s'assit, contrariée, à côté de Joana qui ne lui adressa ni la parole ni un coup d'œil. Lui en voulait-elle vraiment de l'avoir abandonnée en plein milieu du couloir ?

— Au fait, merci pour la liste des leçons ! lui glissa Susan.

Joana répondit par un marmonnement. Mal à l'aise, Susan sortit son cahier et son livre de littérature. La douleur sur ses avant-bras s'éveillait au contact du tissu dès qu'elle faisait un mouvement.

Et comme toujours, loin de l'atténuer, elle ne faisait qu'aggraver son mal-être.

Jusqu'où tout cela pouvait-il aller ?

33.

Elle ne s'était pas trompée : on la fixait, on chuchotait, on la dévisageait curieusement. Elle était le point de mire de la plupart des élèves alors qu'elle traversait le réfectoire, Eliot dans sa combinaison de cosmonaute à ses côtés.

La sensation était détestable.

— Il y a un problème… bredouilla-t-elle.

— Oui, admit Eliot. Viens, on va se mettre là.

Il tira une chaise à l'intention de Susan ; elle s'assit, dos à la salle, lui face à elle.

— Alors ? demanda-t-elle, tendue comme la corde d'un arc.

— Alors, je crois que ça déblatère pas mal à ton sujet.

— Tu sais quelque chose ? Dis-moi !

Eliot commença à triturer ses crudités du bout de sa fourchette.

— C'est si moche que ça ? insista Susan.

— Il y a une rumeur.

— Quelle rumeur ?

— Laisse tomber, Susan. Il vaut mieux ne pas calculer ce genre de choses.

— Quelles choses ?

Eliot évitait son regard. Ses yeux parcouraient la salle, il avait l'air furieux.

— Laisse-moi deviner, enchaîna Susan. Tout le monde sait que je suis orpheline...

— Non, fit Eliot d'un ton brutal. Enfin, si.

Susan ne sut ce qu'elle ressentait : du soulagement ou de la peine.

— Bon, et alors ? Ce sont des choses qui arrivent, non ? Ce n'est pas un crime !

— Le bruit court que c'est toi qui as tué tes parents.

Un nœud se forma instantanément dans le ventre de Susan. Un nœud très serré, hérissé de pointes, qui rendait douloureux sa respiration, les battements de son cœur, la pulsion du sang dans ses veines.

— Je peux m'asseoir avec vous ?

Ni Susan ni Eliot n'avaient vu arriver Stuart. Le garçon prit place, non sans leur jeter un coup d'œil intrigué.

— Hé ! Vous en faites, de ces têtes !

Devant leur absence de réaction, il poursuivit sur un ton léger :

— Oh, ne vous prenez pas le chou, c'est juste une rumeur débile. Chaque année, ça arrive, des gens sont choisis comme cibles, au hasard. C'est une forme de bizutage.

Sauf que là, ce n'est pas une rumeur débile. C'est une rumeur cruelle. Et je n'ai pas été choisie au hasard.

C'est ce que Susan brûlait de dire à Stuart. Eliot devait s'en douter, il lui fit « non » de la tête.

Elle ne put rien manger, mais passa la pause du déjeuner avec les deux garçons, les narines frémissantes de rage, le sang battant follement à ses tempes.

Dans l'intervalle qui restait avant la reprise des cours de l'après-midi, elle chercha à s'isoler. Peine perdue. Où qu'elle aille, des regards, des apartés... La petite blonde plutôt mignonne recueillie par la famille du garçon « en situation de handicap » était en quelques heures devenue une effroyable psychopathe.

Susan le comprit lorsqu'elle pénétra dans les toilettes. Une dizaine de filles étaient occupées à se remaquiller devant les miroirs. Aucune ne la vit se faufiler dans un des box. Haletante, elle posa son front contre la porte, les yeux clos, soulagée d'être passée inaperçue. Pour cette fois...

Or, si elle avait échappé à l'attention des filles, elle ne pouvait manquer d'entendre ce qu'elles étaient en train de se dire.

— Vous vous rendez compte ? Elle a tué ses parents !

— C'était peut-être un accident... objecta une fille à la voix aiguë.

— Eh bien, figure-toi que non ! Elle a fermé la porte de leur chambre avant de mettre le feu, alors qu'ils étaient encore à l'intérieur !

— Qui peut faire une chose pareille à part un monstre ?

— Et en fait, elle n'était pas dans un orphelinat, mais dans une maison de correction. Elle est sortie cet été.

— Les Hopper n'ont vraiment pas peur d'accueillir une psychopathe pareille !

— Il y a des gens qui sont persuadés qu'on peut devenir meilleur, tu sais...

— Oui, mais quand on est capable de faire un truc aussi horrible, c'est qu'on a le mal en soi. Et ça, ça ne disparaît jamais.

Toutes les filles acquiescèrent dans un marmottement indigné.

— Mais comment tu sais tout ça, toi ? intervint l'une d'elles.

— C'est le nouveau de dernière année qui l'a dit à ma sœur. Tu sais, le blond un peu pâle.

— Oh oui, il est trop beau ! roucoula une autre fille.

— Il est bien renseigné : son père est ami avec le directeur de la maison de correction où cette... *fille*... a passé des années.

— Ah, d'accord !

À l'intérieur de son box, Susan s'effondrait. Morris et les démons cherchaient à la jeter à terre. À la plonger dans un désespoir si colossal qu'elle se laisserait happer.

Ils étaient sur le point de réussir.

Les mots que Susan venait d'entendre avaient une puissance de destruction infiniment plus forte qu'un coup de poignard.

Même si elle prouvait aux uns et aux autres que tout cela n'était pas la vérité, elle ne réparerait jamais le mal qui venait d'être fait.

À cet instant, ni Eliot ni Alfred ne pouvaient l'aider. L'antidote, c'est ce qui restait au fond de son cœur, réduit en lambeaux, mais toujours palpitant.

Maman... Jésus... Marie... Aidez-moi...

Ce qu'elle ressentit n'avait rien de spectaculaire. À peine plus qu'un souffle chaud, enveloppant, réconfortant. Mais suffisant pour lui donner la force de se remettre debout, d'ouvrir le verrou, de pousser la porte et de déboucher au milieu des filles qui suspendirent gestes et paroles en la voyant surgir.

Tel un essaim d'oiseaux, elles s'éparpillèrent précipitamment, pendant que Susan se lavait les mains, ses tremblements tant bien que mal contenus.

Hagarde, elle rejoignit sa classe, sans rien voir, sans rien entendre. La vie se déroulait à côté d'elle, le cours d'histoire, puis celui d'anglais. Même la présence de Mme Dawn et le regard frondeur qu'elle portait de temps à autre sur elle ne lui faisaient aucun effet.

Elle bouillait à la fois d'une douleur acide et d'une rage froide. Mais après le choc de ce coup brutal, elle sentait la chaleur au fond d'elle.

Elle ne céderait pas.

Pas si *facilement*, en tout cas.

34.

Susan croyait que la rumeur lancée par Morris était la pire chose pouvant arriver en cette sinistre journée. Mais dans l'état où elle était, même le fait le plus anodin pouvait l'entraîner encore plus bas.

Il survint sous la forme d'un regard, ironique et provocateur. Celui de Morris, croisé dans le couloir au moment du dernier interclasse.

Susan l'aurait supporté si le démon ne s'était pas penché vers une camarade pour lui chuchoter quelque chose à l'oreille. La fille tourna les yeux pour dévisager Susan d'un air aussi dégoûté que si elle avait vu la personne la plus répugnante au monde.

— Pauvre débile… lança Susan en arrivant à son niveau.

Les mots étaient sortis sans qu'elle ait cherché à les dire.

Elle fut la première surprise.

— Non mais ça ne va pas la tête ? s'offusqua la fille.

— Il y a un problème ? demanda Morris.

Son sourire narquois fit voir rouge à Susan. Pourtant, c'est avec beaucoup de sang-froid qu'elle réussit à lui répondre :

— Je disais à ta copine qu'il faut être complètement débile pour croire les bobards que peut raconter quelqu'un que personne ne connaît.

— Des bobards ? Mais tu sais bien que je n'ai dit que la vérité, Susan Prescott !

Il tourna les talons et entreprit de poursuivre son chemin, le front haut, fier de lui. Il aurait pu s'arrêter là. Mais il choisit d'enfoncer le clou.

— Tu peux toujours insulter tout le monde, clama-t-il bien fort, le dos tourné. Ça ne changera rien au fait que c'est toi qui as tué tes parents !

La conséquence fut immédiate : la jeune fille bondit, attrapa le démon par le bras et le plaqua contre le mur, en bousculant au passage d'autres élèves qui s'écartèrent, effarés.

— Elle est dingue ! s'exclama l'un d'eux.

— C'est une folle ! renchérit un autre.

Susan ne les entendait même pas. Sa colère faisait bourdonner ses oreilles et électrisait son corps des pieds à la tête.

Personne ne la vit sortir sa dague, cachée par les pans de sa veste. Elle en dirigea la pointe vers le ventre de Morris, pressa et fut aussitôt confrontée à une mollesse inattendue. Tremblante de colère et de peur, elle appuya encore plus fort. Sans résultat. Morris semblait vide sous ses vêtements.

Les yeux du démon se brouillèrent.

— Voyons, Susan... susurra-t-il. Tu cherches à confirmer à tout le monde que tu es une fille dangereuse ? Une criminelle ? Sois donc raisonnable. Tu ne peux tout de même pas me tuer ainsi, devant autant de témoins !

Sans le lâcher des yeux, Susan replaça son arme dans la ceinture de son pantalon et lança :

— Mais je ne vais pas tarder à le faire. Ça, je peux te le jurer. C'est juste une question de temps.

Sur ce, Morris lui assena un coup de poing dans le ventre. Le souffle coupé, la jeune fille réagit au quart de tour.

Les autres élèves, agglutinés en arc de cercle, ne virent que cela : la gifle cinglante qu'elle lui flanqua. Aux yeux de tous, c'était elle qui agressait Morris. Pas un seul d'entre eux n'avait vu le garçon s'en prendre à elle en premier.

Une clameur gonfla tout autour d'eux. Certains élèves incitaient au calme, d'autres encourageaient à la bagarre. Susan, elle, n'entendait rien. Elle sentit son bras s'élever à nouveau, de la même façon que quelques jours plus tôt, dans la cuisine, et s'abattre violemment sur le visage de Morris, ses épaules, sa tête. Il essaya de parer les coups en mettant ses bras en croix devant lui. Elle était la seule à pouvoir croiser son regard réjoui, à voir son sourire victorieux.

Elle en était malade.

Le bras en l'air, elle sentit qu'on la retenait. Enfin.

— Arrête, Susan... souffla Eliot à son oreille.

En entendant la voix de son ami, elle n'avait qu'une envie : lui prendre la main, fendre la foule des élèves massés dans le couloir et sortir d'ici pour courir loin, là où personne ne la connaissait.

Repartir de zéro, pour de vrai. Pour de bon.

— Mais que se passe-t-il ici ? rugit la voix courroucée d'un surveillant.

— C'est cette fille... fit mine de bredouiller Morris. Elle... elle m'a agressé !

Le rôle de victime lui allait à merveille. Le surveillant regarda Morris, puis Susan qui gardait les yeux farouchement baissés.

— Bon, que tout le monde se rende en classe, allez, allez ! ordonna-t-il. Vous n'avez rien à faire là !

Puis, se tournant vers Morris et Susan :

— Vous deux, vous me suivez chez le directeur.

Les élèves disparurent du couloir en quelques secondes. Seul Eliot ne bougeait pas d'un millimètre.

— Eliot, l'ordre que je viens de donner s'applique aussi à toi, lui dit le surveillant.

— Mais j'étais là, j'ai tout vu ! Je peux expliquer ce qui s'est passé ! se défendit le garçon.

— Tu retournes en classe, s'il te plaît. Si le directeur a besoin de témoignages, je te promets qu'on fera appel à toi.

Eliot jeta un regard perdu à Susan. Elle réussit à lui faire comprendre qu'elle ferait front. Bien qu'au fond d'elle, tout fût en train de se disloquer à la faveur d'un désespoir plus vorace que jamais.

35.

Ce n'était pas la première fois que Susan était mêlée à une bagarre. Parfois, elle en avait même été l'instigatrice.

Mais c'était la Susan d'avant. Celle d'aujourd'hui ne voulait plus être obligée de se défendre ou de s'imposer par n'importe quel moyen.

La Susan d'aujourd'hui aspirait à une vie calme. Équilibrée. Normale.

Or tout allait de mal en pis.

Le directeur avait appelé Helen. En quelques mots, il avait résumé les faits, exposé les conséquences et sollicité un entretien avant de prendre la décision d'exclure ou non Susan de Machan's, du moins temporairement.

Helen était venue. Daniel Hamilton aussi. Sans doute se trouvaient-ils ensemble lorsque le directeur avait appelé Helen, supposa Susan.

La jeune fille dut serrer les dents pour ne pas hurler lorsque Daniel prit sa défense, ô combien perfidement.

— Si j'ai bien compris, nous sommes en droit de trouver à cette enfant des circonstances atténuantes...

— Machan's School applique une tolérance zéro vis-à-vis de la violence, argua le directeur. Il est inadmissible d'agresser les autres élèves ainsi, sous prétexte du moindre différend !

Daniel se tourna vers Susan.

— Susan... c'est bien ainsi que tu t'appelles, n'est-ce pas ? fit-il en essayant de capter son regard.

Si elle opina, c'est uniquement pour ne pas décevoir encore davantage Helen.

— Eh bien, Susan n'a pas eu la chance d'être élevée dans un cadre aimant, avec de solides repères, poursuivit Daniel. Ne la pénalisons pas pour un parcours dont elle n'est pas responsable, ce doit être déjà bien difficile pour elle. Soyons indulgents, laissons-lui la chance de pouvoir s'intégrer...

Tais-toi. Tais-toi. Tais-toi. Tais-toi !

Le directeur regardait tour à tour Helen, Susan, Morris, Daniel, le dossier de la jeune fille posé sur son bureau.

— Et vous, madame Hopper, qu'en pensez-vous ? Souhaitez-vous dire quelque chose ? demanda-t-il.

Helen secoua négativement la tête. Étouffée par la panique et l'impuissance, Susan éprouva une terrible envie de pleurer.

— Morris a dit que j'avais tué mes parents.

C'était plus fort qu'elle, il fallait qu'elle parle. Même si ça ne servait à rien.

Daniel se pencha vers son pseudo-frère.

— Morris ? Tu n'as pas dit cela, n'est-ce pas ?

— Jamais de la vie ! Mais j'ai effectivement entendu des élèves colporter cette rumeur. J'ai même essayé de les en empêcher...

Daniel lui fit un sourire mielleux.

Allez-y, vautrez-vous dans votre autosatisfaction, espèces de chiens ! Ne vous gênez surtout pas.

Le directeur, quant à lui, regardait Susan avec l'air de dire : *Tu vois, tu es entièrement responsable de ce qui est arrivé.*

Il joignit ses deux mains et les tapota, tracassé.

— Bien...

Tout le monde était suspendu à ses lèvres. Susan se tenait prête à encaisser la sentence, quelle qu'elle soit. Elle s'était laissé entraîner par les provocations de Morris, elle n'aurait pas dû. C'était sa seule erreur, une erreur naturelle, logique, inévitable qu'il lui fallait pourtant assumer.

Mais elle ne s'attendait pas à ce que le prix soit si cher.

— Si Susan accepte de me faire ses excuses, je suis d'accord pour lui pardonner et pour tout oublier, lâcha Morris.

Le directeur resta coi, Helen murée dans une impassibilité glaciale, Daniel dégoulinant d'admiration pour son frère-ancêtre.

– Cette preuve de grande miséricorde est tout à votre honneur, Morris ! fit le directeur.

Puis, à l'adresse de Susan :

– Vous avez entendu, jeune fille ?

À cet instant, Susan n'espérait plus qu'une chose dans l'existence : mourir.

Avant de toucher le fond du fond.

Immédiatement, si possible.

Mais rien ne vint. Ni diable fourchu ni cruelle Faucheuse. Son cœur continuait de battre, follement – avec un peu de chance, il finirait bien par lâcher. Son sang pulsait avec une puissance qui semblait sur le point de faire éclater ses veines. C'était douloureux, angoissant. Insoutenable.

Et pourtant, elle continuait d'être vivante.

Elle pensa à Eliot qui devait attendre la fin du cours, sur des charbons ardents.

Elle pensa à Helen, dont toute l'affection des derniers jours devait être pulvérisée par la déception.

Elle pensa à son père, le vrai, pas ce monstre machiavélique assis non loin d'elle. Elle aurait aimé l'aimer. Pour de vrai. Pour de bon.

Et puis à Emma. Sa présence bienveillante mais si ténue lui manquait terriblement, là, maintenant. C'était elle qu'elle voulait plus que tout. La seule capable de la prendre dans ses bras et de la consoler.

Elle se sentit rétrécir de l'intérieur. Elle était Susan Prescott, misérable, incomprise, non aimable. Inutile de se faire des illusions, son passé pesait trop lourd pour qu'elle puisse avoir un avenir.

Elle ne serait jamais Susan Hopper.

— Je suppose que personne ne verra d'inconvénient à ce que ces excuses soient faites par écrit, n'est-ce pas ?

Susan crut avoir rêvé. Helen venait-elle *vraiment* de dire cela ?

— Les écrits demandent davantage de réflexion, ils ont plus de poids que des mots lancés comme ça, sans recul, ajouta-t-elle.

Son attitude, bien qu'extrêmement calme, n'admettait aucune contestation. Susan sentit Daniel et Morris perdre un peu de leur superbe arrogance.

— Voilà qui me paraît être un bon compromis, admit le directeur. Morris ? Monsieur Hamilton ? Vous êtes d'accord ?

Pris au piège de leur fausse commisération, ni l'un ni l'autre n'eut le choix.

Les adultes se serrèrent la main avec politesse et chacun prit congé, les deux Hamilton-Rosebury d'abord, puis Helen et Susan à quelques minutes d'intervalle, muettes, raides mais unies par une étrange chaleur.

36.

Il fallait à peine dix minutes en voiture pour se rendre de Thornshill au manoir. Dix minutes qui parurent dix heures à Susan, tant l'atmosphère était lourde.

Elle ne savait que dire, que regarder, que répondre à Eliot qui, d'ailleurs, cessa vite de poser des questions. Helen lui relata l'essentiel de l'entrevue avec le directeur.

— Mais c'est injuste ! Morris a *réellement* dit ces mensonges sur Susan ! s'exclama-t-il.

Sa mère coupa court, le sujet était clos. Le garçon se renfrogna alors sur son siège jusqu'à ce qu'ils arrivent enfin à la maison.

Sitôt le seuil franchi, Susan fonça dans l'escalier pour regagner sa chambre. Faire comme si de rien n'était, parler des devoirs pour le lendemain tout en partageant le goûter, c'était au-dessus de ses forces.

— Susan ! l'appela Helen depuis le hall.

Elle s'interrompit et, à grand regret, se retourna. Helen était en train de gravir les marches à sa rencontre.

— Tiens, j'ai fait faire cela pour toi, dit-elle en lui donnant une petite boîte en forme de cube.

Susan tendit la main sans réussir à regarder Helen.

C'était un écrin, contenant un flacon.

Un flacon de verre soufflé, en forme de goutte d'eau, bleu avec de fins sillons blancs ciselés dans la matière. Magnifique.

— Tu pourras y mettre le parfum que nous avons acheté ensemble, le flacon d'origine est si vilain, précisa Helen.

Alors, voilà ce qu'elle faisait chez Daniel ! Elle voulait me faire un cadeau, à moi et à moi seule ! s'écria intérieurement Susan. *Et qu'est-ce que je lui offre en retour ? La honte devant tout le monde... Daniel avait de quoi jubiler...*

Elle n'avait qu'une envie : jeter le flacon pour qu'il se brise en mille morceaux.

— Merci... c'est très joli... fit-elle d'une voix étouffée.

Devait-elle embrasser Helen ? Lui sourire ? Son « merci » était un peu court par rapport au mal que s'était donné Helen.

Finalement, elle tourna les talons, décontenancée.

— Tu n'oublieras pas de faire ta lettre ! lui rappela Helen.

— D'accord… répondit-elle en serrant le flacon au risque de le casser.

* * *

Eliot ne tarda pas à toquer à sa porte. Elle ne répondit pas, il entra tout de même et la trouva assise sur son lit, les genoux ramenés contre elle. Il la rejoignit et prit la même pose qu'elle.

— Il faut que ça s'arrête, marmonna-t-il au bout d'un long moment.

— J'ai une théorie, Eliot.

La vivacité soudaine de son amie le surprit. Il se décala pour pouvoir la regarder. Quelques mèches s'étaient échappées de ses cheveux noués sur sa nuque et conféraient à son menu visage une irrésistible lumière blonde. Il leva la main, mû par l'envie de caresser sa joue, et finalement arrêta son geste.

— Raconte, dit-il, attentif.

— Je crois que les démons perdent de leur vigueur.

— Qu'est-ce qui te fait dire ça ?

— Morris m'a paru affaibli lorsque je me suis trouvée en contact avec lui. Et Daniel a peut-être fait le malin devant le directeur, tout à l'heure, mais il n'avait pas très bonne mine…

— Précise ta pensée.

— Je ne sais pas… On dirait qu'il est rongé de l'intérieur. Ça m'a rappelé le père d'une femme chez qui j'ai été placée, il avait un cancer.

Eliot se rembrunit.
— Grand-mère, la femme d'Alfred, avait un cancer.
Susan écarquilla les yeux tout en se mordant la lèvre inférieure.
— Oh, je suis désolée, Eliot, ça m'était sorti de la tête !
— Mais ne sois pas désolée ! Je voulais juste dire que je vois exactement de quoi tu veux parler, la maladie qui ravage l'intérieur du corps, les yeux creusés, la peau sèche et cireuse...
— Oui.
Ils restèrent songeurs un instant avant qu'Eliot ne demande :
— Et tu penses qu'il y a un rapport avec les deux démons que tu as réussi à tuer ?
— Oui.
— Ce serait génial !
— Oui, en quelque sorte.
Cette fois, c'est Eliot qui se trouva confus.
— Pardon... « Génial » n'est peut-être pas le mot le mieux choisi...
Absorbée par ses pensées, Susan ne releva pas.
— J'espère que le rapport de cause à effet va dans ce sens et pas dans l'autre. Imagine qu'on nous ait volontairement mis sur la mauvaise voie et que Meredith O'More soit de plus en plus puissante au fur et à mesure que les démons disparaissent...
Un nouveau silence alimenta leur réflexion.
— Honnêtement, je ne pense pas, fit Eliot.

— Il n'y a qu'un moyen de le vérifier.

Les deux amis s'entreregardèrent avec une gravité fiévreuse. Leurs pensées coïncidaient et convergeaient vers la même perspective. Aucun des deux n'avait envie de la formuler.

— Quand ? murmura Eliot.

— Cette nuit ?

Le garçon acquiesça.

— Il nous faut des renforts, fit Susan.

— J'appelle Alfred.

Il se leva, l'air soudain ragaillardi. Juste avant de quitter la chambre de la jeune fille, il se retourna.

— Mme Dawn ? demanda-t-il.

— Non. Si on passe à l'offensive, autant frapper un grand coup...

* * *

Helen mit un temps infini avant de gagner enfin sa chambre. Susan espérait qu'elle avait pris une triple dose de verveine ou de ces fameuses herbes censées vous plonger dans un sommeil sans fond. Mais il fallut attendre encore deux bonnes heures avant d'être certain qu'elle dormait.

Le seul problème restait Georgette. Véritable petite commère, elle accourut joyeusement dès qu'elle sentit la présence de Susan et d'Eliot dans le hall d'entrée. Debout sur ses pattes arrière, elle s'agrippa au mollet de son jeune maître et le regarda, folle de bonheur de le retrouver.

— Tais-toi, Georgette ! Tu vas tout faire rater ! lui souffla-t-il.

Il la prit à bras-le-corps et la transporta jusqu'à la cuisine. À peine eut-il fermé la porte qu'elle se mit à japper.

— Elle est insupportable, gémit Eliot.

Quelques semaines plus tôt, Susan n'aurait pas manqué de ressentir un certain agacement. Aujourd'hui, elle se surprenait à être attendrie par le gentil molosse dont les pleurs devenaient de plus en plus bruyants.

— Je crois qu'on n'a pas trop le choix, fit-elle avec un petit rictus.

Elle alla elle-même la chercher. Euphorique, Georgette lui fit l'offrande de léchouilles pleines de gratitude.

— Tu es une affreuse capricieuse, mais je t'aime bien quand même, chuchota-t-elle en la serrant contre elle.

Eliot les observait d'un drôle d'air.

— On y va ?

Plus angoissée, mais aussi plus déterminée que jamais, Susan saisit la laisse de Georgette suspendue à une patère, puis emboîta le pas à Eliot en réprimant ses tremblements. Ils longèrent la maison jusqu'au garage en s'efforçant de ne pas faire crisser les gravillons.

Une des portes à double battant était ouverte. Susan reconnut la silhouette massive de la voiture d'Helen et une autre, plus basse et plus petite, qu'elle n'avait encore jamais vue.

Elle faillit pousser un cri lorsqu'un visage effrayant jaillit à l'intérieur de l'habitacle soudain éclairé.

— Oh, Alfred ! Tu nous as fait une trouille bleue !

— Mais vous ne me reconnaissez donc pas, mes jeunes amis ?

— Eh bien… c'est-à-dire que… bredouilla Eliot.

— Tu nous as mis le doute, enchaîna Susan.

Lorsqu'il sortit de la voiture pour incliner son siège afin que Susan puisse se glisser sur la banquette arrière, les deux ados restèrent en arrêt devant son allure. À l'instar de son visage, grimé « façon commando », il avait revêtu un pantalon de treillis, une veste cargo et des bottillons aux semelles de crêpe. Une tenue anormalement… normale. Mais quand il sortit un bonnet rouge tricoté main à l'effigie d'un renne et l'enfonça sur sa tête, le naturel reprit ses droits.

— Ah, je me disais aussi… murmura Eliot.

Georgette dans les bras, Susan se faufila à l'arrière du coupé sport d'un beau bleu pastel.

Des voitures comme ça, on n'en voit plus que dans les vieux films…

Elle s'attendait à ce qu'il y ait un vacarme d'enfer au démarrage. Mais Alfred fit avancer l'antique véhicule dans un ronronnement incroyablement discret. À croire que le moteur avait été remplacé par un délicat mécanisme d'horlogerie.

– Tu as mis de l'essence, grand-père ?

Alfred tapota un cadran chromé sur le tableau de bord.

– J'ai fait le plein avant de remiser ce bel engin dans le garage, il y a quelques années.

– Ah... Tu es sûr qu'on ne va pas tomber en panne, au moins ?

– Bien sûr que non ! J'ai fait le plein, te dis-je !

Ils traversèrent l'allée du parc à deux kilomètres à l'heure avant de parvenir enfin sur la route. Là, Alfred enclencha les vitesses et lança la voiture, métamorphosée en véritable bolide. Dos plaqué contre leur siège, Eliot et Susan s'agrippèrent à leur accoudoir.

– Prêts pour notre opération « Haro sur les leudes de Meredith » ? fit le grand-père.

À part le nom de son ennemie mortelle, Susan n'avait jamais entendu ces mots. Mais elle ne doutait pas une seconde de la détermination guerrière qu'ils devaient traduire. Tout ce qu'elle espérait, c'était de pouvoir pousser, elle aussi et d'ici le petit matin, un long cri de victoire.

37.

À l'approche du centre équestre, Alfred arrêta la voiture dans un étroit chemin de traverse. Susan comptait bien débusquer les trois « amazones », comme les avait nommées M. Gregor, le gardien du cimetière, en parlant des inconnues en bottes et en vestes d'équitation le jour de l'enterrement.

— Tu es sûre de ton choix, miss Susan ? demanda-t-il en se tournant vers la jeune fille.

— Oui. Daniel et Morris m'ont cherchée, ils vont me trouver !

— Et autant faire un tir groupé, ajouta Eliot.

Alfred se frotta le menton, étalant encore plus son maquillage de camouflage.

— C'est très hardi, vraiment très très hardi, opina-t-il. Mais j'abonde ô combien dans votre sens, mes tendres petits !

Susan ne se trouvait pas tendre du tout à quelques minutes de tuer trois de ses ancêtres démons. Mais Alfred était un homme si adorable que lui faire la moindre remarque aurait été vraiment déplacé.

— Qu'est-ce qu'on fait de Georgette ? fit Eliot.

Entendre son nom tira la chienne de son sommeil.

— Un bon petit chien d'attaque, ça peut toujours servir ! s'enthousiasma Alfred.

Georgette redressa la tête, bâilla à s'en décrocher la mâchoire et tendit le cou pour tenter de lécher le visage de Susan.

Tu parles d'un chien d'attaque ! se dit-elle.

Elle fixa néanmoins la laisse à son collier et s'extirpa de la voiture.

— Allons-y... murmura-t-elle.

Ils s'engagèrent tous les quatre sur la route, recouverte d'une humidité luisante. Tout autour, l'air était opaque, chargé de microscopiques gouttelettes en suspension qui déposaient sur les visages et les vêtements un film argenté.

Susan avançait d'un pas raide et rapide. Ses muscles et son cerveau recélaient une énergie vengeresse qui rendait sa respiration heurtée. Chaque geste, chaque foulée l'essoufflait.

Elle plongea la main dans la poche de son sweat à capuche et en sortit le foulard bleu qu'elle avait exceptionnellement exhumé de la boîte contenant les trésors de son enfance. Elle le porta à son nez, en inspira longuement l'étoffe fragilisée par toutes ces années où, petite fille, elle s'était réfugiée dans le souvenir du parfum de sa mère. Les yeux mi-clos, elle ralentit l'allure, un peu étourdie par la sensation paradoxale d'une triste consolation.

— Ça va ? s'inquiéta Eliot.

— Oui, oui.

Au lieu de remettre le foulard dans sa poche, elle le passa autour de son cou et cacha les pans sous sa marinière, à même sa peau. Le contact était doux, rassurant.

— Nous y voilà, fit remarquer Alfred.

Un large panneau en bois annonçait l'entrée du centre équestre. Susan et ses deux – trois ! – complices s'avancèrent dans l'allée sombre auréolée de la moiteur nocturne. Tout était parfaitement silencieux. Beaucoup plus que dans la forêt toute proche, en perpétuelle animation.

Au bout d'une cinquantaine de mètres, ils finirent par distinguer un corps de ferme en U, organisé autour d'une cour pavée.

— J'ai souvent emmené James à ses cours d'équitation lorsqu'il était petit, chuchota Alfred. Si je me souviens bien, le bâtiment d'habitation est sur la droite.

Mais, ainsi qu'ils l'avaient convenu tous ensemble, ils se dirigèrent à l'opposé.

Selon Alfred, le centre comptait au moins trente chevaux. Rien d'étonnant alors à ce que l'odeur provenant des écuries leur pique autant les narines !

— On s'habitue vite, vous verrez... les rassura le grand-père.

— J'espère ! Sinon on va mourir avant même le début de la bataille ! répliqua Eliot, son écharpe remontée sur son nez.

Une légère agitation fut perceptible, à peine un frémissement, lorsque les visiteurs entrèrent dans la plus petite des écuries. Ils allumèrent leur portable, une belle salle à la charpente apparente leur apparut, coupée en deux par une allée paillée bordée de rigoles. Trois stalles faisaient face à trois autres, toutes séparées par des demi-cloisons en bois et fermées par des portillons bas.

Les six chevaux tournaient le dos à l'allée. Une couverture recouvrait l'échine de certains, d'autres dévoilaient une robe noire et brillante ou bien marron glacé, des queues de crin blond. Tous semblaient dormir.

Il fallut les réveiller, doucement, en leur caressant l'échine, l'encolure, la tête. Susan n'avait eu une telle proximité avec des chevaux qu'une seule fois. Elle avait huit ans et c'étaient des poneys…

Aujourd'hui, dans cette écurie quasiment plongée dans l'obscurité, elle ne se sentait pas du tout à l'aise. Alfred le comprit très vite et s'en émut.

— Miss Susan, je vais te confier la mission de m'ouvrir les issues et la voie pour que je puisse évacuer ces magnifiques équidés !

Il ressemblait à un ninja un peu fou avec son bonnet de ski.

Susan s'acquitta de sa tâche avec entrain. Au fur et à mesure qu'Eliot réveillait les chevaux, Alfred les sortait un à un par la porte du fond pour les conduire jusqu'au manège d'entraînement couvert, au bout de la bâtisse. Pas un hennissement, pas une ruade... Les chevaux se laissaient mener docilement et reprenaient le cours de leur nuit dès lors qu'Alfred avait noué leur longe près des auges bien pleines, à l'intérieur du manège. Susan ouvrait et refermait les portillons, éclairait le chemin grâce à la fonction torche de son tout nouveau – et premier ! – téléphone portable, se rendait aussi utile que possible.

Elle aimait fabuleusement cette sensation.

Quand tous les chevaux furent évacués, Alfred referma la lourde porte du fond et se frotta les mains avec un air de franche satisfaction.

— Et maintenant, chacun à son poste !

— Et Georgette ? lança Eliot avec la fâcheuse impression de se répéter.

— Tu penses pouvoir la garder avec toi ? demanda prudemment son grand-père.

— Bien sûr... Déjà que je ne suis pas d'une grande aide...

Le jeune homme tendit la main pour prendre la laisse des mains de Susan. À cause de sa faiblesse physique, c'est le rôle de guetteur qui lui était revenu.

— Tu seras notre vigie, notre sentinelle, nos yeux, mon garçon ! Tu nous es essentiel !

Eliot savait combien c'était important, mais se sentait pourtant frustré. Il se posta sous la petite lucarne donnant sur la cour et se concentra, en appui contre une grosse botte de foin. Les forces lui manquaient, davantage chaque jour, aujourd'hui encore plus que la veille.

À côté de lui, Georgette se mit en position d'attente, ses pattes arrière formant un angle bizarre sous son gros corps pansu.

Alfred, lui, sortit d'une de ses nombreuses poches une cordelette, ainsi qu'une matraque télescopique, les deux seules armes qu'il portait officiellement sur lui.

– Non, grand-père, ton vieux pistolet qui date de Mathusalem ne servira à rien, on a affaire à des démons ! lui avait rappelé Eliot.

– Des démons, certes, mais dans des corps de chair ! lui avait opposé Alfred tout en glissant discrètement son arme de poing dans un holster sous sa veste.

Susan, quant à elle, se cacha derrière le portillon de la deuxième stalle, qu'elle laissa déverrouillé.

Son cœur se remplissait d'une rage noire qu'elle espérait indestructible, tandis que sa main se serrait autour du manche de sa dague.

– Tout le monde est prêt ? chuchota Alfred.

– Oui ! répondirent en chœur Eliot et Susan.

– Alors, à l'attaque !

38.

Lorsque Alfred leur avait promis une « belle pétarade », Eliot et Susan avaient pensé qu'il engagerait les hostilités à l'aide d'un pétard, d'une fusée d'alarme... de quelque chose de bruyant mais de totalement inoffensif.

Comment pouvaient-ils imaginer qu'il sortirait une grenade ?

Ils s'en rendirent compte au moment même où il la dégoupillait. Soit une seconde trop tard pour l'en empêcher.

— Reculez-vous ! leur cria-t-il.

Interdits, ils le virent tendre le bras en arrière et lancer l'engin au milieu de la cour. Puis il referma prestement la porte coulissante et, les mains sur les oreilles, courut derrière un pilier à trois ou quatre mètres de là.

L'explosion survint aussitôt. Un énorme boum qui descella un nombre impressionnant de pavés. Les blocs giclèrent avant de retomber dans un fracas lourd et mat.

– Ah ! Moi qui craignais que cette grenade ne soit périmée ! s'exclama Alfred.

– Pas vraiment, non ! marmonna Eliot, sous le choc.

Réfugiée contre la botte de foin, Georgette regardait son jeune maître avec une expression de pure terreur. Plus loin, les chevaux se mirent à hennir, paniqués par la détonation. Puis la cour s'éclaira soudain. Quelqu'un venait d'allumer la lampe au-dessus de l'entrée du bâtiment d'habitation.

Trois personnes jaillirent hors de la maison. Les trois femmes, non mortes et non vivantes, entraperçues au cimetière. Une grande blonde, une voluptueuse brune et une autre, plus menue.

Elles se séparèrent pour pouvoir inspecter les différentes parties des écuries.

Sans un mot, Eliot alluma son portable, dirigea l'écran en direction de son amie et de son grand-père, et l'éteignit aussitôt. Le signal venait d'être donné : quelqu'un approchait.

La porte de l'écurie coulissa et la silhouette de la plus grande des trois femmes se détacha en contre-jour. Elle tendit le bras pour atteindre l'interrupteur, une rangée de néons crépita au plafond, jetant sur l'écurie une lumière crue.

Elle eut à peine le temps de constater que les chevaux n'étaient plus là, Alfred lui fonçait déjà dessus. Il saisit son bras, le tordit en arrière et lui flanqua un coup sur la nuque avec le plat de la main. Elle tomba en avant en poussant un « han » surpris.

Jamais Susan n'aurait deviné que le vieil homme puisse être aussi athlétique.

Une joue plaquée contre le sol couvert de paille, les yeux mi-clos, la femme ne bougeait plus. Cependant, les gémissements qui s'échappaient de ses lèvres entrouvertes laissaient entendre qu'elle ne tarderait pas à recouvrer ses esprits.

Alfred prit sa cordelette et commença à la ficeler comme un saucisson. Il respirait fort, ahanait, mais ses gestes étaient précis, rapides. Il n'avait rien oublié de ce que l'armée lui avait appris. Sauf qu'aujourd'hui, son corps accusait un bon nombre d'années en plus.

Quand ce fut terminé, il fit un nœud et tourna la femme sur le dos.

— Miss Susan, à toi de jouer !

La jeune fille n'eut pas seulement l'impression que ses jambes la lâchaient. Ses mains aussi, subitement moites et tremblantes. Ses globes oculaires, brûlants, prêts à fondre. Son ventre et le trou noir qui s'y formait. Son cœur.

— Dépêchez-vous ! souffla Eliot depuis son poste d'observation. Les deux autres ne vont pas tarder !

Sans comprendre pourquoi ni comment, Susan fut projetée vers la femme. Subitement, elle n'était plus elle-même, mais un double qui s'assit à califourchon sur le démon, ignora les yeux à nouveau grands ouverts, le regard si humain, trop humain qui essayait de l'attendrir. Les supplications prononcées d'une voix rauque.

Elle sentait un courage et une solidité qu'elle ne croyait pas avoir. Et au-delà, comme la concrétisation de ces nouvelles sensations, le manche de la dague, presque une prolongation d'elle-même entre ses mains entrecroisées.

La lame s'enfonça dans le cœur démoniaque sans qu'elle ait à faire d'efforts. Traversé par un spasme incandescent, le corps de la femme se réduisit aussitôt en poussière. L'odeur, reconnaissable entre mille, mortifère et suffocante, s'enroula en volutes sombres pour se mêler à celle, plus organique, de la paille souillée par le crottin et l'urine des chevaux.

Susan se retrouva à genoux sur le sol dur, son pantalon recouvert de cendres grisâtres. Un peu étonnée, étrangement détachée.

Elle croisa le regard d'Alfred. Le vieil homme semblait fier d'elle.

— Cachez-vous ! les avertit Eliot.

Un instant plus tard, les deux autres femmes pénétraient dans l'écurie. Leur démarche paraissait manquer d'assurance, comme celle de personnes très âgées.

— Kathlyn ? Tu es là ? lança l'une d'elles.

— Mais… où sont les chevaux ? fit l'autre.

C'est à ce moment précis que l'instinct protecteur de Georgette s'éveilla. La petite chienne surgit de sa cachette et, bien campée sur ses quatre pattes, se mit à gronder rageusement.

Tout se passa alors très vite. Profitant de la surprise des deux femmes qui s'étaient retournées, Alfred bondit sur la brune, laissant le soin à Susan de s'occuper de la plus menue. Le grand-père, si aguerri soit-il, ne pouvait neutraliser les deux démons à la fois. Susan ne devait ni flancher ni même hésiter.

La force qu'elle avait ressentie un peu plus tôt la poussa à nouveau. Elle fonça sur la deuxième femme, à peine plus grande qu'elle, et, sans aucun état d'âme, plongea la lame de la dague dans son flanc.

La femme écarquilla les yeux, ouvrit la bouche et poussa un cri qui se mua en un souffle mauvais. Une véritable tempête s'éleva dans l'écurie, faisant voler la paille, battre les portillons de bois contre les cloisons ; un néon s'abattit dans un crépitement d'étincelles.

Susan comprit qu'elle n'avait pas atteint le cœur. Le désarroi la saisit, elle sentit la force l'abandonner. Le démon profita de ce flottement pour se ruer sur elle et la plaquer contre une poutre verticale. L'odeur était presque aussi insupportable que le contact avec ce corps possédé. Susan en avait la nausée. La paille qui volait tout autour lui griffait le visage et l'empêchait de voir distinctement celle qui l'écrasait contre la poutre. Elle ne percevait que la pourriture intérieure de son ancêtre démon et sa volonté de la détruire.

— Susan ! cria Alfred.

Elle eut un sursaut, aussi physique que mental. Ses sens étaient en train de l'envahir, au détriment de l'urgence de la situation.

Surmonter.

C'était ce qu'elle faisait depuis ce funeste jour où ses parents avaient péri dans la maison en feu. Elle allait bien y parvenir, une nouvelle fois, aujourd'hui !

Sa main la guida avec une précision chirurgicale. Le cœur du démon se désintégra dès que la lame de la dague le traversa. Le corps de la femme conserva encore un instant son apparence et sa consistance avant de se disloquer.

Instantanément, le souffle furieux cessa de tout dévaster dans l'écurie. Susan chercha ses amis et les découvrit un peu plus loin, près de l'entrée.

La scène était stupéfiante : la femme brune soulevait Alfred de terre en lui serrant la gorge des deux mains. Les yeux exorbités, le grand-père semblait sur le point de s'évanouir. Mais, plus affolant encore, Eliot avait planté une fourche dans le dos de la femme et l'enfonçait avec une vigueur qui aurait abattu n'importe quel être humain.

Le regard qu'il adressa à son amie était celui de la dernière chance.

Une colère noire galvanisa Susan. La femme était en train de s'accaparer la vitalité d'Alfred, de la même façon qu'avait commencé à le faire la fausse Juliet Evers avec Eliot.

Dague brandie en avant, la jeune fille fonça. Peu importait qu'elle y soit poussée par sa mère et par les bons esprits, par sa colère, le ressentiment illimité ou la peur de perdre ceux qu'elle aimait déjà si fort... Cette femme – ce démon ! – devait disparaître.

Tout de suite !

Elle se répandit en un petit tas de cendres quelques secondes plus tard.

Abasourdi, Eliot tomba à genoux.

Et Alfred s'effondra sur le sol, le regard voilé, inconscient.

39.

Lorsque le réveil sonna, Susan émergea de son sommeil avec une brusquerie qui l'étourdit. Des étincelles noires grésillèrent dans sa tête et sous ses paupières pendant quelques secondes avant qu'elle ne se redresse. Son corps lui faisait mal. Cette nuit cauchemardesque laissait des traces sur et dans tout son être.

Elle saisit son téléphone portable flambant neuf et balaya le répertoire qu'Eliot lui avait créé. Il n'y avait pas beaucoup de noms, Helen, Eliot, Alfred. Elle pressa sur cette troisième touche, illustrée d'un portrait du vieil homme. Au bout de la deuxième sonnerie, elle se dit que c'était sans doute une très mauvaise idée. Elle s'apprêtait à couper quand on décrocha.

— Alfred ? C'est toi ? bredouilla-t-elle.

— Bien sûr que c'est moi ! Comment vas-tu, miss Susan ?

La voix du grand-père était méconnaissable. Elle le resterait certainement pendant plusieurs jours, le temps que ses cordes vocales se rétablissent après la strangulation subie la nuit dernière. Alfred avait bien failli succomber, mais il s'en était sorti.

— Moi, ça va. Et toi ? demanda Susan.

— Je viens de me badigeonner le cou d'un emplâtre à l'argile rouge... Diable, c'est divin !

Susan essaya de l'imaginer. Il devait avoir l'air encore plus fou.

— Je dois y aller, dit-elle en voyant que les minutes s'égrenaient. Repose-toi bien.

— Oh, compte sur moi, ma petite fille ! Et toi, prends garde à tes maudits ancêtres...

— On t'enverra un SMS pour te dire si ça a marché.

— Pardi, je suis sûr que oui !

Une quinte de toux l'interrompit.

— J'en mettrais ma main au feu ! reprit-il.

Malgré l'entrain qu'il manifestait, Susan avait le cœur déchiré d'entendre sa voix si abîmée. Elle se demandait encore comment ils avaient réussi à revenir au manoir. Eliot était à bout de forces et Alfred tenait à peine debout, elle avait dû les soutenir tous les deux jusqu'à la voiture, manquant de s'effondrer à chaque instant sous le poids et la peine. Elle venait de commettre l'impensable. Mais c'était l'état du vieil homme qui la torturait.

Puis, une fois assis au volant, Alfred avait sorti une flasque d'une de ses poches, l'avait laborieusement portée à ses lèvres gercées et en avait bu une longue lampée. Il s'était alors ébroué comme un chien, avec une telle vigueur que son bonnet avait été éjecté sur les genoux d'Eliot, assis à ses côtés.

— Cornegidouille ! s'était-il exclamé. Ce whisky réveillerait un mort !

À cet instant précis, Susan et Eliot avaient compris que le grand-père – *leur* grand-père – était tiré d'affaire. Et même s'il leur avait fallu quatre fois plus de temps au retour qu'à aller, seul comptait cet extraordinaire sentiment d'avoir échappé au pire et de s'être retrouvés, unis et vivants.

* * *

Susan jetait sans cesse de petits coups d'œil aux horloges des différentes pièces dans lesquelles elle passait : salle de bains, chambre, cuisine, hall d'entrée... Le temps pouvait-il passer si lentement ? Plus lentement encore ?

— Il faut que tu prennes ton mal en patience, lui glissa Eliot alors qu'ils finissaient tous deux leur bol de thé.

Prendre son mal en patience... remarqua Susan. *Encore une drôle d'expression !*

Prétextant un cours à récupérer, Eliot avait insisté pour qu'Helen les conduise un peu plus tôt au collège. Ni lui ni Susan ne voulaient manquer l'arrivée de Morris.

Le regard de Susan, incapable de se fixer sur quoi que ce soit, ses gestes heurtés, sa façon de redresser son sac sur son épaule... tout trahissait son agitation. Elle n'aurait jamais cru pouvoir dire cela un jour, mais il lui tardait de croiser Morris, accessoirement Daniel et Mme Dawn, pour vérifier sa théorie.

Eliot partageait son impatience, à la différence qu'il la cachait mieux. La fatigue et sa grande fragilité physique l'y aidaient certainement.

C'est avec empressement qu'ils saluèrent tous deux Helen lorsqu'elle les déposa devant Machan's. De nombreux élèves observèrent Susan d'un air mauvais, craintif ou simplement prudent. La rumeur avait entamé son travail de salissure.

— C'est si facile de détruire, marmonna Eliot.

Alors que c'est si long et si difficile de construire ! ajouta Susan en pensée.

— On peut briser quelqu'un en quelques mots, poursuivit-il.

Il adressa un regard orageux à un garçon qui dévisageait Susan avec un dégoût évident, puis se tourna vers son amie.

— Un jour, quand tout cela sera fini, on trouvera le moyen de réparer le mal qui a été fait, lui dit-il.

— Oh, tu sais, j'ai un peu l'habitude d'être considérée comme « la fille à problèmes », « le cas » de service.

— Eh bien, raison de plus !

Les élèves commençaient à arriver en nombre et la fébrilité des deux amis grandissait. Soudain,

Susan saisit la main d'Eliot et la serra très fort : la voiture de Daniel venait de s'arrêter devant l'entrée. Ce dernier portait un chapeau masquant partiellement son visage. Eliot et Susan se prirent à espérer follement qu'il ait quelque chose à cacher.

Puis Morris sortit de la voiture, la contourna et s'avança sur le trottoir.

— Dis-moi que tu vois ce que je vois... murmura Susan.

— Si tu as une aussi bonne vue que moi, alors je dis bingo !

— Tu le trouves comment ?

— Pas vraiment en forme...

Morris passa à deux mètres, sans leur prêter la moindre attention. Avant de faire volte-face et de foncer vers eux !

— Tu crois pouvoir t'en tirer, Susan ? siffla-t-il au visage de la jeune fille. Mais tu n'es pas de taille. Personne n'est aussi fort que Meredith et que notre volonté de la voir renaître.

Eliot garda sa main dans celle de Susan et la pressa aussi fort qu'il le put. Les yeux de Morris étaient injectés de sang, des vaisseaux minuscules y traçaient un réseau de feu tandis que ses cernes violacés rehaussaient la pâleur de sa peau.

Face au silence frondeur de Susan, il poursuivit :

— Tu es une Rosebury et, comme tous les Rosebury, tu donneras ta vie pour que Meredith retrouve la sienne. Il ne sert à rien de lutter, ce qui doit être accompli le sera...

Une goutte de sang noir perla sur ses lèvres, desséchées au point de se fendre lorsqu'il esquissa un sourire féroce.

– Mais pour le moment, c'est toi qui pues la mort, Morris, pas moi... fit Susan.

Le sourire du démon se transforma en grimace. Susan n'avait plus aucune raison de s'attarder. Elle tourna les talons et s'éloigna, sans lâcher la main d'Eliot.

Ils gravirent l'escalier côte à côte, sans un mot, épuisés par les tourments mais le cœur moins en peine que quelques minutes plus tôt.

– On se retrouve à midi ? fit Eliot devant sa salle de classe.

– D'accord.

Les autres élèves passaient près d'eux, bruyants et agités, certains les bousculaient, par mégarde ou non.

Peu importait. Tous deux avaient tant de mal à se quitter.

Il le fallut, malgré tout. Juste avant de rejoindre sa classe, Eliot découvrit complètement son visage et articula du bout des lèvres :

– Je t'aime.

Ni le lieu ni le moment ne s'y prêtaient. Pourtant jamais Susan ne s'était sentie aussi heureuse. Son esprit, son cœur, ses lendemains lui semblaient capables d'infini. Elle entra dans la salle en souriant, imperméable aux regards des uns et des autres, et s'assit à côté de Joana.

— Salut... fit timidement cette dernière.

— Salut !

Joana lui adressa un petit coup d'œil plein de gratitude. Ce changement d'attitude toucha sincèrement Susan.

— Excuse-moi, poursuivit la jeune fille en se penchant vers elle.

— De quoi ? s'étonna Susan.

— Dans mon ancien collège, une fille s'est suicidée à cause des fausses rumeurs qui circulaient sur elle. Alors, je devrais savoir combien c'est débile de croire tout ce que les gens peuvent raconter.

— Oh...

— Tiens, c'est pour toi, pour me faire pardonner.

Joana lui glissa une enveloppe avec son nom écrit en lettres alambiquées au crayon argenté.

— Tu la liras plus tard.

Susan fourra la lettre dans son sac, un peu embarrassée.

— Merci, tu es gentille, murmura-t-elle.

— Oui, ça m'arrive ! fit la jeune fille en riant. Quand je ne suis pas aussi débile que les gens que je trouve débiles !

Un surveillant entra dans la salle. Les conversations cessèrent aussitôt.

— Votre professeur d'anglais, Mme Dawn, sera absente ce matin, annonça-t-il. Alors, vous allez rester à vos places et travailler en silence jusqu'à la fin de l'heure. Le premier que j'entends aura une heure de retenue !

Comme tous les autres élèves, Susan sortit ses affaires et s'efforça de fixer son attention sur le roman de John Boyne que sa classe avait commencé à étudier. Mais penser à Mme Dawn était tellement plus réjouissant ! Où se trouvait-elle en ce moment ? Au fond de son lit ? Auprès de Daniel, en train de mettre en place un nouveau plan diabolique ? Susan ne s'aveuglait pas d'illusions. En portant un coup sévère à ses ennemis, elle avait remporté une bataille, mais rien n'était gagné. Pas encore.

Son téléphone vibra dans sa poche. Elle se raidit, elle avait si peu l'habitude de ces engins. Heureusement qu'elle avait pensé à le mettre sur silencieux !

Elle regarda discrètement l'écran. C'était un message d'Eliot.

Rejoins-moi dans le garage à vélos à la pause ! Un truc à te dire !

Il n'était que huit heures trente. Encore une heure trente avant de savoir de quoi il s'agissait. Susan avait l'impression de ne faire que ça, attendre, attendre, attendre. Depuis qu'elle était petite, depuis toujours. Pendant plus de dix ans, elle avait attendu de retrouver le parfum perdu de sa mère. Dès que sa route avait croisé celle de familles potentiellement adoptantes, elle avait humé, encore et encore, dans une quête éperdue.

En vain. Perpétuellement en vain. Comme ce héros mythologique condamné à pousser en haut de la colline cette grosse pierre qui dégringolait éternellement la pente[1].

Susan, elle, était aujourd'hui sur le point de caler sa grosse pierre au sommet de la montagne. Plus que quelques efforts et elle aurait réussi.

Les visages déformés de ses ancêtres agonisants s'imposèrent dans son esprit. Elle se rembrunit. Ce qu'elle avait fait était atroce. Tuer quelqu'un était atroce. Mais était-elle vraiment une criminelle ?

« Ceux que tu as à combattre ne sont plus des êtres humains... lui avait dit Alfred. Ton père et tes aïeux sont morts depuis longtemps. Leur âme ne leur appartient plus, le démon de Meredith O'More la manipule à son gré. »

Jusqu'à l'heure de la pause, elle fut une piètre collégienne. Son corps était là, assis en classe, penché sur son livre, puis tourné vers le professeur d'histoire. Mais uniquement son corps.

Dix heures sonnèrent enfin. Elle se précipita hors de la salle, demanda où se trouvait le garage à vélos à des élèves qui la regardèrent comme si elle allait leur sauter à la gorge, s'empêcha de courir, parvint enfin au lieu du rendez-vous, le cœur en feu.

— Eliot ?

---

1. Sisyphe.

La porte se referma lourdement derrière elle, plongeant le local dans une quasi-obscurité. Susan repéra le petit point rouge de l'interrupteur et tendit le bras pour le presser.

Mais quelqu'un la devança.

Alors que le garage s'éclairait, Morris bondit pour l'immobiliser par-derrière en lui ceinturant le haut du corps. Le visage marqué de Mme Dawn apparut devant elle.

Tout se passa à une vitesse vertigineuse.

Le démon saisit sa main droite et, d'un coup de scalpel, lui trancha le poignet.

Le choc aveugla Susan. Elle eut seulement le temps de sentir Mme Dawn trancher son poignet gauche, et elle s'effondra.

40.

Le bruit mou de la pluie tapotant contre la vitre avait quelque chose de soporifique. Ajouté à l'immense fatigue qui paralysait le corps de Susan, il n'incitait pas la jeune fille à ouvrir les yeux. D'ailleurs, que trouverait-elle si elle le faisait ? Quelle nouvelle horreur ?

Elle avait beau s'efforcer de refouler la dernière image, les dernières sensations, rien à faire, ça s'accrochait à sa rétine, ça collait à sa mémoire, ça empoisonnait sa raison.

— Susan ? Est-ce que tu m'entends ?

La voix d'Helen lui pétrit le cœur. Il lui sembla alors qu'un flot de larmes se déversait soudain à l'intérieur de son corps trop petit, trop faible pour l'endiguer.

Les effluves du parfum d'Helen l'enveloppèrent. Elle faillit ouvrir les yeux lorsque la main de cette femme tant aimée caressa son visage. Le contact avec la paume chaude et douce sur sa joue, la pulpe de son pouce écrasant une larme qui avait réussi à s'échapper… Tout son être en était bouleversé, comme projeté dans un monde de plumes, d'écume, de mousse légère.

— Susan... reprit Helen. Regarde-moi.

La gorge de Susan se serra, elle déglutit avec douleur et contre son gré. Ses paupières tremblaient, Helen allait inévitablement comprendre qu'elle était réveillée. Mais la pensée de se confronter à son regard, à sa déception, à sa peine – car elle en avait, cela s'entendait dans sa voix – était insupportable.

— Je ne sais pas pourquoi tu as fait ça, mais je ne t'en veux pas, tu sais. Je veux juste t'aider...

La voix d'Helen se brisa.

— Nous voulons tous t'aider, enchaîna une autre voix.

C'était James. Il était revenu. Sans doute en raison de ces « circonstances ».

— Je sais que je ne suis pas très présent et j'en suis navré. Mais nous sommes tous très heureux de t'avoir parmi nous. *Vraiment*, Susan. Helen, Eliot, Alfred, moi... et même Georgette !

Moi aussi, je suis heureuse d'être parmi vous ! J'en suis folle de bonheur ! Vous êtes ceux que je voulais depuis toujours !

Au lieu de crier ces mots trop à l'étroit dans sa tête, elle se mit à pleurer de plus belle. La main chaude d'Helen quitta son visage, remplacée par la peau douce d'Eliot.

— Susan, je suis là, murmura-t-il à son oreille.

Puis, plus sourdement encore :

— On ne va pas se laisser faire. On va se battre.

Il l'embrassa sur les lèvres, un baiser chaste et tendre.

Quelqu'un entra dans la pièce. D'autres mains la touchèrent, moins inquiètes, plus techniques.

— Comment va-t-elle ? demanda James.

— Tous les indicateurs sont bons, répondit une voix masculine. C'est une chance que tu aies pu donner l'alerte très vite, mon garçon. Ta sœur n'a pas eu le temps de perdre trop de sang.

Ta sœur ! s'exclama intérieurement Susan, alors qu'aucun des Hopper ne relevait.

— Son état est stable, reprit l'infirmier. Le rétablissement sera rapide.

— Quand pourrons-nous la ramener à la maison ? demanda Helen.

— Dans vingt-quatre heures, au plus tard quarante-huit, mais seulement après l'autorisation de la psychiatre.

— Bien sûr… fit tristement Helen.

— On vous expliquera pour les pansements. Sinon, vous avez la possibilité de les faire changer par une infirmière à domicile.

— Oui… Quand la psychiatre va-t-elle passer ?

— Dans la journée.

S'ensuivit un silence pendant lequel Susan se demanda quelle était l'attitude de chacun, quels étaient les regards échangés. Puis l'infirmier quitta la chambre.

Les yeux toujours clos, le corps toujours immobile, Susan repoussait l'échéance de réintégrer la réalité, tout en restant à l'affût de ce qui se passait autour d'elle. Tant qu'elle ne voyait rien, elle était toujours abritée.

– Tu devrais rentrer te reposer un peu, chérie, proposa James à Helen.

– Non, je vais rester. Voudrais-tu ramener Eliot ?

– Hors de question ! s'opposa le jeune homme.

– Bon, je vais aller nous chercher du thé, fit gentiment James.

Cet état de *statu quo* se maintint pendant encore deux heures, peut-être trois. Les Hopper échangeaient peu de mots, uniquement le strict nécessaire. Susan entendit James recevoir un coup de fil de son père. Pendant qu'il lui donnait des nouvelles, elle comprit qu'Helen devait regarder Eliot avec un air de reproche car le garçon répliqua d'un ton un peu énervé :

– Quoi ? Grand-père n'a pas le droit de se faire du souci ? Il adore Susan et Susan l'adore, que ça te plaise ou non !

Le silence revint, plus tendu. Susan devait réfléchir, vite. La psychiatre n'allait pas tarder et ce qu'elle lui dirait serait décisif pour son avenir. Elle avait passé suffisamment de temps au Home pour le savoir. À un moment ou à un autre, chaque enfant, chaque ado était amené à passer dans le bureau – deuxième porte à gauche, couloir du rez-de-chaussée – où les psys se succédaient.

Susan en avait elle-même côtoyé un bon nombre. Et même si elle venait de subir un choc inouï, Morris, Meredith et leurs vassaux ne gagneraient pas aussi facilement.

Elle savait exactement ce qu'il lui faudrait dire à celle qui ne tarderait pas à se présenter.

* * *

Les semelles de la psychiatre chuintèrent sur le lino de la chambre quand elle s'avança vers les Hopper. Elle se présenta, son intonation était un peu lente, presque lancinante. Docteur Jessica Martins.

— Pourriez-vous nous laisser un instant, s'il vous plaît ? fit le docteur Martins aux Hopper.

Susan les entendit sortir. Puis la psychiatre tira une chaise jusqu'au bord du lit et s'assit.

— Bonjour, Susan.

La jeune fille se donna encore quelques secondes de répit. Mais le docteur Martins enchaînait déjà.

— Je sais que tu m'ent...

— Bonjour, coupa-t-elle.

Elle trouva sa voix étrange. Grave et dure.

— Tu ne veux pas ouvrir les yeux ?

Elle espérait ne pas avoir cette terrible petite flamme au fond de son œil droit. Qui sait comment la psychiatre l'interpréterait ? Sans compter qu'elle devrait faire des tests ophtalmologiques qui retarderaient encore son retour au manoir. Elle avait déjà perdu assez de temps.

Mais apparemment, rien ne choqua la psychiatre. Susan découvrit une femme d'une cinquantaine d'années, aux lèvres roses et aux cheveux blancs, qui la regardait avec cet air à la fois impassible et attentionné que savent si bien adopter les spécialistes de la tête.

— Comment te sens-tu, Susan ?

La jeune fille aperçut ses poignets bandés et la perfusion fichée dans son bras au moment où elle les lui montra. Elle haussa les épaules, de peur que sa voix ne tremble si elle répondait avec des mots.

— Tu veux bien me raconter ce qui s'est passé ?

Elle n'en avait pas du tout envie. Mais elle opina de la tête. Elle n'avait pas le choix.

— Des élèves m'ont coincée dans les toilettes.

— Des garçons ? Des filles ?

— Des filles.

— Elles t'ont agressée ?

— Elles m'ont dit des choses ignobles.

Elle baissa les yeux, sa fatigue était réelle. Mentir était épuisant. Toujours se battre. Ruser. Duper. Est-ce que cela se terminerait un jour ?

— Quelles choses, Susan ?

Ce qu'elle allait dire n'était pas *réellement* ce qui s'était passé. Mais elle savait que certains à Machan's le pensaient. Alors, ce n'était pas *vraiment* un mensonge.

— Elles ont dit qu'une fille comme moi n'avait pas sa place chez les Hopper. Que je ne les méritais pas. Que c'étaient des gens bien et qu'ils avaient assez de problèmes avec leur fils handicapé sans en ajouter avec une fille folle à lier, une psychopathe qui avait tué ses propres parents.

Sa voix se brisa indépendamment de sa volonté.

— Tu sais que ce n'est pas vrai, n'est-ce pas ? fit la psychiatre.

— Oui... Mais sur le coup, je n'arrivais pas à réfléchir.

— Tu veux bien me décrire ce que tu as ressenti à ce moment-là ?

Je veux surtout que vous signiez mon autorisation de sortie !

— De la colère parce que je trouvais ces filles cruelles de m'accuser de choses dont elles ne savent rien, parce que je n'arrivais pas à me défendre et que chaque fois ça me met dans un état...

— Un état ?

— De désespoir ! cria-t-elle.

La psychiatre continua de la dévisager sans que Susan puisse discerner ce qu'elle pensait.

— Et que s'est-il passé ensuite ?

— J'ai voulu sortir, une fille m'a bloquée, je l'ai poussée. Elle s'est mise à hurler qu'elle allait me dénoncer au directeur, lui dire que je l'avais agressée. Et comme j'ai déjà eu un problème...

— Je suis au courant.

— J'ai pensé qu'Helen allait m'en vouloir. Peut-être me détester. Et qu'elle allait me renvoyer au Home. Je ne voyais plus rien tellement j'avais mal de penser ça.

Elle dut s'arrêter. Elle avait réellement mal.

— Je me suis enfuie, souffla-t-elle. Jusqu'au garage à vélos.

— Et ?

— Et j'ai fait cette bêtise.

— Pourquoi dis-tu que c'est une bêtise ?

— Parce que c'en est une.

Le docteur Martins inspira et expira doucement.

— Avec quoi t'es-tu coupée, Susan ?

Non ! Non, non, non !

Les pensées se précipitèrent en rafale. Avec quoi pourrait-elle s'être coupée ? Aurait-elle pu trouver un outil quelconque dans le garage ? Avait-on ramassé quelque chose à côté d'elle quand les secours étaient arrivés ?

In extremis, elle se souvint de son sac de classe qui avait glissé de son épaule au moment où Morris l'avait attrapée.

— Avec la lame de mes ciseaux, répondit-elle.

Elle espérait que la psy interpréterait son regard fuyant comme de la honte.

— Tu t'es déjà fait du mal, Susan ?

— Non ! s'exclama-t-elle, avec ce qu'il fallait d'indignation dans la voix.

La psy se leva et feuilleta le dossier qu'elle avait posé sur la table en entrant.

Sûrement le compte rendu de mes années au Home... Rien de compromettant à part une tendance à ne pas pouvoir respecter l'autorité...

Personne n'avait jamais rien su de ce qu'elle s'infligeait. Et personne n'avait à le savoir. C'était son secret.

— Bien, fit le docteur Martins en inspirant à nouveau très profondément. Juste une dernière question, ensuite je te laisse te reposer.

Susan eut l'impression de se trouver dans la position de la condamnée qui attend le coup de grâce. Ou la grâce royale.

Étrange que ce soit le même mot...

— Comment te sens-tu avec les Hopper ? Tu peux tout me dire, je ne répéterai...

— Heureuse, l'interrompit-elle.

Elle le pensait si sincèrement.

— Je veux rester avec eux. C'est ce que je désire le plus au monde ! Je jure que je me tiendrai tranquille, on ne pourra rien me reprocher...

La psy ferma le dossier et le cala sous son bras.

— Bien... Je vais discuter avec Helen et James, maintenant.

Elle lui tendit la main, Susan la serra avec un petit rictus de douleur, son bras était un peu douloureux.

— Au revoir, Susan.

Elle prit ça pour un signe de bon augure.

— Au revoir.

41.

Si les Hopper n'avaient pu ramener Susan au manoir le lendemain, c'est uniquement parce que le chef de service de l'hôpital souhaitait la garder encore une nuit en observation, à cause de ses poignets entaillés.

En effet, le docteur Martins était revenue s'entretenir avec Susan et, ne décelant aucune prédisposition suicidaire dans son comportement, elle avait très vite signé l'autorisation de sortie.

Helen avait passé ces quarante-huit heures aux côtés de Susan quasiment sans la quitter un seul instant. Elle avait demandé – exigé ! – un lit d'appoint, mais Susan savait qu'elle n'avait pas beaucoup dormi. Elle-même avait sombré par à-coups, de courtes intermittences au milieu de ses réflexions, véritables ruminations, et des plans qu'elle dressait dans sa tête afin d'en finir avec Meredith et ses démons.

— N'oublie pas les chocolats que t'a apportés ton amie, lui dit gentiment Helen alors qu'elle rassemblait ses affaires.

Joana était effectivement passée la voir, bouleversée par ce qui était arrivé et accablée par un énorme sentiment de culpabilité.

— Je n'aurais jamais dû te parler de cette fille dans mon ancien collège...

Susan l'avait rassurée. Ce genre de choses n'arriverait plus. Elle avait laissé Joana la prendre dans ses bras, lui faire le plus gros câlin qu'on lui ait jamais fait, sans toutefois pouvoir lui rendre la pareille. Ça aussi, il faudrait qu'elle apprenne. Un jour. Plus tard.

— Tu es prête ? demanda Helen.

— Mmm.

James et Eliot lui avaient apporté des vêtements propres – et jeté ceux, pleins de sang, qu'elle portait au moment de... comment l'appeler... l'incident ? la crise de panique ? le dérapage ?

Elle secoua la tête. Il fallait essayer de laisser cela de côté. Ou mieux : derrière elle. Elle descendit les manches de sa marinière au maximum pour cacher ses poignets bandés et se redressa.

Tous les Hopper étaient présents pour sa sortie de l'hôpital. Même Georgette était venue ! La petite chienne ne manqua d'ailleurs pas de lui faire la fête. Comme à n'importe quel membre de la famille.

Dire que Susan se sentait bien aurait été abusif. Non. Avant tout, marcher à leurs côtés la rendait fière. Légitime. Normale.

Eliot ne lâcha pas sa main pendant tout le trajet du retour. Elle se dit qu'ils devaient avoir l'air bien fragiles, tous deux immobiles sur la banquette arrière de la voiture, corps affaiblis, yeux étrécis par l'angoisse et la fatigue.

Tout en conduisant, James posa une main sur la cuisse d'Helen, non sans lui jeter un petit coup d'œil. Helen le laissa faire et Susan fut même persuadée de l'avoir vue esquisser un sourire. Sans savoir vraiment pourquoi, cette vision la remplit d'une immense joie, tendre et poignante à la fois.

Le moment était étrange. Elle sortait de l'hôpital, les poignets lacérés, Eliot ne devait son existence physique qu'à des bandes de tissu bleu, Alfred avait failli être emporté par les démons, un terrible sursis pesait sur toute la famille…

Et pourtant Susan était heureuse.

* * *

James venait d'engager la voiture dans l'allée de la propriété quand chacun fut témoin d'un bien curieux spectacle.

— Mais qu'est-ce qu'il fabrique encore ? marmonna Helen.

James lui jeta un regard consterné, bien que la scène ait vraiment de quoi interloquer. Eliot et Susan quant à eux, pressentaient quelque chose de plus grave qu'un des petits coups de folie coutumiers de la part d'Alfred.

James gara la voiture et se précipita au-devant de son père qui s'agitait au milieu du parc, courait, bondissait, remuait les bras, plongeait dans l'herbe pour rattraper des papiers voltigeant dans tous les sens.

Alors qu'Helen les observait depuis le perron, Susan et Eliot ne purent s'empêcher d'aller voir ce qui se passait. Ils trouvèrent Alfred dans un état de grande agitation, des feuillets serrés contre lui.

Assis dans l'herbe, son fils à ses côtés, le vieil homme pleurait. James avait passé un bras autour de ses épaules et semblait déconcerté par la puissance que dégageait la peine de son père.

— Alfred... murmura Susan.

Le grand-père leva les yeux, elle fut ébranlée par son regard.

— Miss Susan... Te voilà...

Elle s'agenouilla devant lui. Il lui saisit les mains et les secoua avec émotion. Elle eut un peu mal, mais ne dit et ne montra rien.

— Regarde ce qu'*ils* ont fait... bredouilla-t-il entre deux sanglots.

— Papa, de quoi veux-tu parler ? s'étonna James.

En guise de réponse et d'explication, Alfred tendit les feuillets déchirés. Tous étaient recouverts d'une écriture manuscrite, belle et ronde. La plupart des mots, écrits à l'encre bleue, dégoulinaient sur le papier rendu humide par l'herbe et la bruine qui tombait.

— Ma femme tant aimée… L'amour de ma vie… Son journal intime… hoqueta Alfred. C'est tout ce qui me restait d'elle… et *ils* l'ont détruit !

James se passa une main sur le visage. Son père perdait la tête.

Susan et Eliot, eux, savaient exactement ce qu'Alfred voulait dire.

— Viens, papa, on va te raccompagner, fit James en aidant Alfred à se relever.

— Ça va aller, grand-père, dit Eliot.

Ils cheminèrent tous les quatre jusqu'à la petite maison au fond du parc, Alfred au bras de son fils. Il continuait de pleurer en silence, semblait avoir vieilli de cent ans. De temps à autre, Susan et Eliot ramassaient une feuille du journal intime saccagé sans oser y jeter un regard. Le sacrilège était déjà assez terrible.

Une fois à l'intérieur de la maison, James força son père à s'asseoir dans un des gros fauteuils de cuir et entreprit de raviver le feu dans la cheminée. Susan prépara un thé, comme le lui avait appris Helen, tandis qu'Eliot dressait un plateau.

Les larmes d'Alfred s'étaient arrêtées de couler. Mais le grand-père paraissait sous le choc. James lui déplia un plaid sur les jambes, remit de l'ordre dans ses vêtements débraillés et dans ses cheveux emmêlés.

On dirait un vieil enfant… se dit Susan.

Lorsqu'elle était au Home, on les emmenait parfois visiter les personnes âgées dans des maisons de retraite. C'était vraiment l'impression que lui donnaient ces gens, des esprits d'enfants dans des corps usés qu'il fallait habiller, laver, alimenter, oxygéner...

— Mais qu'est-ce que tu t'es fait ? s'alarma James en découvrant le cou meurtri de son père.

Alfred ajusta son écharpe en cachemire orange. Susan et James avaient eu le temps d'apercevoir la peau bleue, tirant sur le noir, et la marque laissée par les doigts du démon.

— Oh, moi et mes expériences saugrenues... répondit le vieil homme d'un air las. Tu me connais, mon fils, je donne toujours beaucoup de ma personne...

— Fais attention, tout de même, l'avertit James. Tu vas finir par te tuer !

Susan s'approcha prudemment avec le plateau pesant et instable.

— On va se venger, Alfred ! chuchota-t-elle à son oreille en lui donnant une tasse de thé.

Elle ne s'attendait pas à ce qu'il la regarde avec cette vivacité. Il lui avait paru si amorphe !

— Tu peux compter sur moi, miss Susan ! répondit-il sur le même ton.

Elle lui sourit, heureuse de le retrouver tel qu'il était.

— Tu vas aller t'allonger un moment, papa, intervint James. Je vais préparer ton lit.

— Non !

La vigueur du cri que venait de pousser Alfred saisit son fils. De leur côté, Susan et Eliot s'étaient raidis. La pièce où reposait le corps d'Eliot était fermée à double tour. Mais mieux valait que James ne s'égare pas de ce côté de la maison.

— Je préfère rester là un moment, près du feu, se radoucit Alfred.

James le dévisagea avec insistance.

— Tu es sûr que ça va aller ?

— Oui, ne t'inquiète pas, mon capitaine.

À l'évidence, James fut touché que son père l'appelle ainsi.

— Et puis, si j'ai le moindre ennui, nous ne sommes pas très loin les uns des autres ! ajouta Alfred. Regarde, je peux même voir ce que tu fais quand tu es dans ta cuisine ou dans ton salon ! Mais pas dans ta chambre, je te rassure...

D'un ample geste du bras, il lui montra la longue-vue installée devant une des petites fenêtres.

James partit d'un grand rire.

— Oh, tu veux dire que tu nous espionnes ?

— Pas du tout ! Je veille simplement à ce que tout aille bien !

— Ah, dans ce cas...

Les deux hommes se donnèrent l'accolade.

— Salut, grand-père ! On passe te voir cet après-midi, d'accord ? fit Eliot.

— Ma porte vous est grande ouverte, vous le savez bien, mes jeunes amis ! répondit-il avec un clin d'œil pour son petit-fils et pour Susan. Allez, filez...

Malgré ses efforts pour paraître détaché, sa souffrance affleurait. Les démons savaient frapper, surtout là où c'était le plus douloureux. Et une fois de plus, ils n'avaient pas manqué leur cible.

Mais nous non plus, on ne va pas vous rater…

42.

Encore remués par les derniers événements, Susan, Eliot et Alfred étaient cependant résolus à répliquer sévèrement. Aussi en convinrent-ils rapidement par téléphone : ils allaient adopter une tout autre stratégie.

« Sus à la source ! » C'est le nom très *alfredien* qui fut donné à l'opération à venir. La dernière, si tout se déroulait bien.

— Bon, grand-père, on doit te laisser, maintenant ! fit Eliot. Repose-toi, tu vas avoir besoin de toutes tes forces. À tout à l'heure !

Il raccrocha, regarda Susan assise sur le lit en face de lui, et lui adressa un petit sourire triste.

— On y va ?

James et Helen leur avaient demandé de les rejoindre dans la bibliothèque. Un peu anxieuse, Susan hocha la tête. Elle s'était persuadée qu'à un moment ou à un autre, elle aurait droit à cette réunion de famille. Comment y aurait-elle échappé avec tout ce qui venait de se passer ? De plus, James était revenu. Sans doute avait-il un autre regard sur la situation, moins impliqué, plus détaché. Plus objectif. Et bien qu'il soit d'un abord plus facile qu'Helen, il pouvait être celui que Susan devait le plus craindre.

C'est justement lui qui les accueillit.

— Ah, les enfants, asseyez-vous !

Il semblait vraiment heureux de les voir arriver tous les deux. Helen aussi avait l'air heureuse, même s'il fallait y regarder d'un peu plus près.

— Nous avons une grande nouvelle à vous annoncer ! lança-t-il.

Lui aussi était redevenu comme un enfant. Un enfant joyeux et impatient.

— Helen, ma chérie, à toi l'honneur ! fit-il gaiement en se tournant vers sa femme.

— Nous venons de demander ton adoption, Susan... dit-elle, douce et souriante.

La jeune fille en resta bouche bée.

— Nous te considérons déjà comme un membre de notre famille, poursuivit-elle. Mais d'ici quelques semaines, tu le seras officiellement !

Jamais Susan n'aurait cru qu'un tel bonheur était possible. Un bonheur d'une intensité dépassant tout ce qu'elle avait imaginé pendant ces longues et grises années, tout ce qu'elle avait espéré, voulu. Son cœur débordait, vibrait, cognait. Peut-être allait-il lâcher. Elle n'en aurait pas été étonnée.

De drôles de pensées lui venaient à l'esprit. Existait-il un mode d'emploi, un guide pour ceux à qui on vient d'annoncer une telle nouvelle ? Les Hopper voulaient l'adopter et elle, c'est l'attitude qu'elle devait adopter qui la préoccupait... Alors, elle fit ce qui semblait le mieux et dont elle mourait d'envie : elle se leva et se jeta dans les bras d'Helen et de James.

— Eliot, mon garçon, viens vers nous ! fit ce dernier.

Mais, contre toute attente, Eliot se leva et, visage fermé, quitta la pièce en claquant violemment la porte derrière lui.

James lâcha Susan et fonça dans le hall d'entrée.

— Eliot ! cria-t-il en direction de l'escalier que le garçon était en train de gravir quatre à quatre. Qu'est-ce qui te prend ? Reviens ici tout de suite !

Il s'élança à sa suite.

Dans la bibliothèque, Helen et Susan se retrouvaient face à face, décontenancées. Helen se laissa tomber dans un fauteuil.

— Je... je suis désolée... ânonna-t-elle. Je n'aurais jamais imaginé qu'il puisse réagir ainsi...

Le ciel semblait s'être écroulé sur sa tête, sur ses épaules, sur toute sa personne. Elle voulut parler, mais n'y parvint pas.

Susan, quant à elle, ne paniquait pas outre mesure. La réaction d'Eliot la surprenait par son côté un peu théâtral. Cependant, il n'était pas difficile de deviner pourquoi cette histoire d'adoption le bouleversait tant.

On entendit des cris à l'étage du dessus. Le père et le fils montaient le ton. Helen en était catastrophée.

Le calme revint enfin, au bout de quelques minutes, et James regagna la bibliothèque. Il s'assit à son tour dans un fauteuil, se passa la main sur le visage, ce qui fit crisser sa barbe naissante. Les coudes sur les genoux, il dévisagea sa femme, puis Susan, restée debout contre les rayonnages de livres, mains derrière le dos, regard gêné.

— Eliot, viens, s'il te plaît ! fit James.

Le garçon entra, Helen leva la tête, ses yeux hurlaient un déchirant *pourquoi ?* Susan sentit son cœur se pincer.

— Tu veux bien répéter à ta mère ce que tu m'as dit ? demanda James à son fils.

Il se tourna vers Susan et ajouta :

— Susan, je pense que tu sais de quoi il s'agit...

La jeune fille déglutit à grand-peine et opina. Et c'est avec un étourdissant sentiment d'embarras et de bonheur qu'elle entendit Eliot expliquer, la voix tremblante :

— J'aime Susan. Si un jour elle s'appelle Hopper, ce sera parce qu'elle sera ma femme. Pas ma sœur.

Helen poussa un « han » de stupéfaction, alors que tout se détendait en elle. Son visage s'éclaira. Bouche entrouverte, elle regarda son mari, qui lui sourit largement. Puis elle dévisagea son fils et Susan, et s'enfonça dans son fauteuil.

— Tu n'avais vraiment rien vu, chérie ? la taquina James.

Elle fit non de la tête.

— Ça crève pourtant les yeux… fit-il remarquer, un rictus amusé au coin des lèvres et des yeux.

— C'est bon, ronchonna Eliot. On ne va pas en faire toute une histoire.

— Mais Susan a peut-être son mot à dire, non ? lança doucement Helen.

Susan n'avait aucune idée de ce qu'elle devait penser, dire, ne pas dire. Et le regard des Hopper sur elle ne l'y aidait pas.

— Je veux rester avec vous, dit-elle simplement d'une petite voix.

— Eh bien, alors, tout va bien ! s'exclama James. Il va juste falloir prendre conseil et s'adapter en fonction de ce qui est envisageable ou non. Notre but est que tout le monde soit le plus heureux possible dans cette maison !

Georgette arriva à point nommé, suivie de Mme Pym poussant un chariot couvert de merveilleuses petites gourmandises dont elle seule avait le secret. Une bouteille de champagne trônait dans un seau de glace au milieu des petits-fours et des cupcakes aux couleurs pastel.

— Madame Pym, venez trinquer, Susan va rester définitivement parmi nous ! clama James.

— Quelle excellente nouvelle ! s'écria la gouvernante.

Son air triste laissait filtrer une joie sincère. Elle prit Susan dans ses bras et la serra tendrement pendant que James débouchait la bouteille de champagne avec cet entrain qui lui était si naturel.

Il tendit une flûte aux deux femmes, puis aux deux ados, avant de se servir généreusement.

— Que tu deviennes notre fille ou notre belle-fille, bienvenue à toi, Susan Hopper !

43.

Susan s'était déjà retrouvée à plusieurs reprises dans une forêt en pleine nuit. Mais jamais elle ne s'était sentie aussi mal à l'aise que cette fois-là. Des scènes de films d'horreur lui revenaient en mémoire, ce genre de moment où le spectateur se demande bien pourquoi les héros décident de s'enfoncer dans les entrailles végétales d'une sombre forêt, si clairement hostile.

Susan, elle, savait exactement ce qu'elle faisait là et ce qu'elle risquait de trouver.

L'humidité des derniers jours avait rendu le chemin spongieux. Les semelles des deux ados et du vieil homme collaient, alourdissant chaque pas. Georgette n'avait pas ce problème, Susan et Alfred se relayant pour la porter.

Comme s'ils s'ébrouaient, les arbres laissaient constamment tomber de grosses gouttes qui s'écrasaient sur les épaules, les visages, les bonnets ou capuches des noctambules. Autour et au-dessus d'eux, on entendait siffler, hululer, craquer, bruire, crisser… La vie était invisible, rien ne bougeait, et pourtant elle était perceptible, audible.

Inquiétante.

— Un petit remontant ? proposa Alfred en sortant de sa besace une bouteille thermos.

Les outils qu'il portait dans un long sac à dos se cognèrent lorsqu'il posa sa lampe torche sur le sol. Le faisceau lumineux, dirigé vers son visage, accusait ses traits et lui donnait un air dément.

Susan et Eliot auraient volontiers bu quelque chose de chaud. Mais qui pouvait savoir ce qu'il avait concocté ? Certainement pas une boisson normale comme du thé, du café ou même de la soupe. D'ailleurs, au vu du râle qu'il laissa échapper, le contenu de sa thermos était vraisemblablement douteux. Il s'essuya la bouche, rangea sa bouteille et reprit sa torche.

— Allons, encore un effort, nous y sommes presque ! lança-t-il, autant pour lui-même que pour ses jeunes compagnons.

Le petit pont de pierre branlant ne tarda pas à apparaître, en effet. La tension redoubla dans les esprits, les respirations se firent plus heurtées. Susan posa Georgette à terre et confia la laisse à Eliot. Ses gros yeux roulant dans ses orbites, la petite chienne frissonnait, sans doute autant de peur que de froid.

Ils se dirigèrent tous les quatre vers l'amas de pierres, recouvert de mousse et de fougères, et le contournèrent. Derrière, légèrement en surplomb, se trouvait l'endroit où Susan avait été emmenée, quelques jours plus tôt.

— Bien, commençons ! fit Alfred en se défaisant de ses outils.

Il tendit une pioche à Susan, en prit une autre et frappa le sol au beau milieu de l'espace délimité par les anciens murs effondrés.

La terre battue était aussi dure que des dalles de granit. Les lames des pioches faisaient sauter des fragments, entamaient la surface, mais ne semblaient pas pouvoir creuser plus profondément que ces quelques centimètres.

Frustré par son impuissance, Eliot avait entrepris d'inspecter tout autour, trop nerveux pour chercher quoi que ce soit de précis.

Au bout d'une demi-heure, Susan n'en pouvait plus. Ses poumons n'étaient plus qu'un chaudron de lave, elle était en nage et harassée.

— On ne va pas y arriver... souffla-t-elle, en appui sur le manche de sa pioche.

Alfred n'était guère plus en forme. Du revers de la main, il s'essuya le front et regarda le sol couvert d'échardes de terre durcie sur environ trois mètres carrés.

— Vous souvenez-vous de ce que nous avons vu, mes jeunes amis ? demanda-t-il soudain.

Eliot se rapprocha.

— De quoi veux-tu parler, grand-père ?

— Quand nous avons été projetés dans le passé... le jour où Meredith a été tuée...

Eliot et Susan s'entreregardèrent. Non, aucun risque qu'ils oublient une scène pareille.

— Où se trouvait la cheminée ?

Les deux ados ne voyaient pas du tout où Alfred voulait en venir, mais réfléchirent tout de même.

— Face à la porte d'entrée, fit Susan.

Alfred traversa l'espace de terre battue, se tourna dans un sens, dans l'autre, tendit la main et s'en servit comme d'un viseur en ponctuant chaque geste d'un grommellement.

— Si tu nous disais à quoi tu penses, on pourrait peut-être t'aider ? se risqua à demander Eliot.

— La porte d'entrée se trouvait forcément à ce niveau, répondit-il en faisant un grand geste de la main vers l'amas de pierres. On traversait le pont et on parvenait à la maison par le chemin…

Il pointa triomphalement le doigt vers une portion de mur que rien ne distinguait des autres.

— La cheminée se trouvait donc là ! s'exclama-t-il.

— Euh… oui, peut-être… et puis ? tempéra Eliot.

Au lieu de répondre, Alfred se précipita vers le pan de mur en ruine qu'il venait de montrer et se mit à creuser à sa base.

À chaque coup de pioche, il scandait un « argh » plein de rage.

— Il va finir par faire une crise cardiaque, murmura Eliot.

Susan le rejoignit et commença à creuser, elle aussi, avec l'impression diffuse d'être sur la bonne voie. D'ailleurs, il lui semblait avoir de plus en plus d'énergie au fur et à mesure qu'elle plantait le fer de la pioche dans le sol.

Soudain, une profonde lézarde se forma dans le sol jusqu'au milieu de la surface entourée de murs. Alfred poussa un cri tonitruant et donna un nouveau coup, plus puissant que tous les autres.

La lézarde s'élargit alors, précipitant les trois aventuriers et leur petit chien dans sa béance terreuse.

* * *

— Sacredieu !

Assis en angle droit, Alfred fut pris d'une quinte de toux. Il secoua sa chevelure hirsute, soulevant un nuage de poussière qui se mêla à celle qui flottait tout autour.

— Rien de cassé, mes enfants ?

— Non, c'est bon, répondit Eliot en se relevant.

— Et toi, miss Susan ?

— Je n'ai rien...

Le faisceau de la lampe torche braqué sur elle prouvait le contraire. Devant l'air effaré d'Eliot et d'Alfred, elle porta la main à sa tête, là où elle sentait le sang coller ses cheveux.

— Laisse-moi voir ça, fit Alfred.

Il s'approcha à quatre pattes au milieu des gravats et des blocs de terre compacte.

— Dieu merci, c'est superficiel ! se réjouit-il après un rapide examen. Attends, je dois bien avoir ce qu'il faut dans une de ces poches…

Il fouilla et finit par exhiber un pansement qui ne semblait pas de première fraîcheur. Susan se laissa faire, tout en balayant l'endroit des yeux.

— C'est bien ce que je pensais ! commenta Alfred en observant à son tour.

— Qu'est-ce que tu pensais ? demanda Eliot, le nez en l'air.

— Il m'avait semblé voir une trappe dans le sol, à droite de la cheminée, lorsque nous avons assisté à cette terrible scène, le jour où Meredith fut tuée par lord Rosebury. Cette ouverture ne pouvait correspondre qu'à l'accès vers un sous-sol ou une cave…

Eliot et Susan n'en revenaient pas.

— Mais… comment as-tu pu remarquer un truc pareil ? bredouilla Eliot.

— Oh, mon œil l'a vu et ma mémoire l'a retenu sans même que je m'en rende compte !

Du Alfred tout craché ! se dit Susan.

Tous les trois observèrent autour d'eux. La poussière soulevée par l'effondrement et par leur chute était presque entièrement retombée. Une pièce se révélait, plus grande et plus longue que la surface entourée de murs où ils se trouvaient un peu plus tôt.

— On dirait que ça conduit quelque part, fit Eliot.

Il braqua la lampe torche vers une galerie étroite et tapissée de pierres qui s'enfonçait sous la terre.

— Où est Georgette ? s'inquiéta soudain Susan.

— Palsembleu ! La petite molosse ! s'écria Alfred.

Ils se mirent tous les trois à crier de toutes leurs forces.

— Geoooor-getttte !

Paniquée à l'idée que la gentille chienne soit ensevelie sous les amas de terre et de pierre, Susan commença à fouiller directement à la main. Eliot s'agenouilla à son côté et fit de même.

— Non, non, non, ma p'tite grosse, tu ne vas pas nous faire un coup pareil, quand même…

Susan le sentait au bord des larmes. Elle-même était en proie à une violente émotion.

Alfred, quant à lui, décida d'engager ses recherches dans la galerie. Sa voix, toujours meurtrie, résonnait sourdement et ajoutait une dimension encore plus dramatique à cet instant.

— C'est un cauchemar… murmura Susan. Un vrai cauchemar…

Eliot s'arrêta subitement de fouiller les gravats et posa la main sur l'avant-bras de son amie.

— Chut… souffla-t-il.

Susan tendit l'oreille. Puis une immense joie la traversa. Elle se leva d'un bond, imitée par

Eliot, et tous deux se mirent à courir en direction de la galerie voûtée.

La petite chienne trotta vers eux lorsqu'elle les vit.

— Ma mémère poilue, te voilà !

Eliot enfonça son visage dans le pelage de Georgette. Susan voyait bien qu'il pleurait et riait à la fois.

— Oh, ma Georgette, tu m'as fichu une de ces trouilles...

Il se laissa lécher les joues par la chienne euphorique avant de la reposer sur le sol. Aussitôt, elle se mit à courir dans la galerie, sa laisse flottant derrière elle. Eliot et Susan la suivirent, d'autant plus qu'Alfred s'était éloigné dans cette direction.

Georgette aboyait et se retournait sans cesse pour s'assurer que les deux ados étaient bien là. Ils durent presser le pas.

Une lumière apparut bientôt, la voix d'Alfred en train de parler tout seul leur parvint. Ils ne tardèrent pas à déboucher dans une petite salle directement creusée dans la roche.

Alfred se trouvait là, debout devant une grille aux épais barreaux. Georgette aboya à nouveau, sans doute heureuse d'avoir réuni tout le monde.

— Regardez ce que j'ai trouvé, mes jeunes amis !

Susan et Eliot s'approchèrent. La galerie semblait se prolonger très loin au-delà de cette grille.

— C'est formidable, n'est-ce pas ?

— Ça le serait encore plus si on savait où ça mène, objecta Eliot.

La grille était munie d'une énorme serrure qu'Alfred avait déjà tenté de forcer avec une tige métallique. Sa patience entamée, il se mit à secouer les barreaux comme un forcené en poussant de grands cris, avant de commencer à taper dessus avec sa pioche.

— Je crois que ça ne sert à rien, grand-père... fit remarquer Eliot.

Alfred laissa tomber sa pioche et soupira bruyamment.

— J'ai bien peur que tu n'aies raison, mon petit cosmonaute. Mais je suis sûr qu'il y a quelque chose de très important au bout de ce passage.

Il se tourna vers Eliot et Susan. Ses yeux, irrités par la poussière et la fatigue, étaient bordés d'un rouge violacé qui lui donnait l'allure d'un zombie.

— Ah ! Maudite serrure ! Que c'est irritant !

— On reviendra la nuit prochaine avec des outils, proposa Susan.

L'impression d'être à la lisière de quelque chose de décisif l'emportait sur la frustration qu'ils ressentaient tous à cet instant. Alfred prit les deux ados dans ses bras et les serra si fort qu'ils crurent étouffer.

Georgette aboyait follement à leurs côtés. Et lorsqu'ils cessèrent de s'étreindre, ils s'aperçurent qu'elle n'était pas à leurs pieds, mais de l'autre côté de la grille, prête à s'élancer dans l'autre partie de la galerie !

– Georgette ! s'écria Eliot. Ne bouge pas, reste là, surtout reste là !

– Mais par où s'est faufilée notre petit molosse ? s'interrogea Alfred. Ah, là, regardez !

Il braqua la lampe sur un trou d'environ trente centimètres de diamètre, entre le sol de pierre et le bas de la grille.

Eliot passa le bras à travers les barreaux et essaya d'attraper la laisse de Georgette. Croyant à un jeu, la chienne recula en jappant.

– Georgette, je t'en prie, viens… Viens manger, ma p'tite grosse !

Le mot « manger » éveilla un nouvel intérêt dans l'esprit glouton de l'animal. Elle s'approcha, sa laisse se trouvait derrière elle, mais la ruse semblait fonctionner.

– Tu veux du jambon, ma Georgette ? Des croquettes ? Mmmhhh, les bonnes croquettes…

La queue de la chienne remua. Eliot, Susan et Alfred retinrent leur souffle. Georgette n'était plus qu'à quelques centimètres de la main de son jeune maître.

Mais soudain, elle tourna la tête, aboya un coup, et s'enfuit à toute vitesse dans les profondeurs de la galerie.

Eliot eut beau l'appeler, agiter sa lampe torche, lui promettre toutes les gourmandises dont elle raffolait, elle avait disparu.

44.

Alfred avait proposé de rester au fond de la galerie au cas où Georgette réapparaîtrait. Si par bonheur cela arrivait, la petite chienne ne pourrait jamais sortir seule de ces souterrains.

Le cœur lourd, Eliot et Susan avaient accepté. D'eux trois, Alfred était le seul dont l'absence ne se remarquerait pas. C'est néanmoins avec accablement qu'il avait accompagné ses petits-enfants jusqu'au pont de pierre.

— Vous devez suivre le chemin, toujours sur votre gauche !

— Ne t'inquiète pas, grand-père.

— Bien sûr que si, je m'inquiète !

— Laisse ton téléphone allumé, on t'envoie un message dès qu'on est arrivés. Et si toi, tu as de bonnes nouvelles, tu nous appelles, d'accord ?

Alfred avait regardé les deux ados s'enfoncer dans la forêt. Ils s'étaient retournés presque en même temps pour saluer le vieil homme d'un signe de la main.

— On va la retrouver, j'en mettrais ma main au feu ! avait-il crié dans leur direction avant de retourner dans les souterrains.

Eliot et Susan n'avaient pas dû échanger dix mots pendant ce retour pesant. La grosse horloge sonna trois heures du matin lorsqu'ils pénétrèrent dans le hall d'entrée, exténués, dans leur tête encore plus que dans leur corps. Comme promis, Eliot envoya un SMS à Alfred, qui lui répondit aussitôt par un « formidable » agrémenté de plusieurs points d'exclamation.

— On va essayer de se reposer un peu ? suggéra le garçon à Susan.

— Pas sûre d'y arriver... répondit-elle, la gorge nouée.

Le cumul des catastrophes comptait pour beaucoup dans la peine qu'elle éprouvait, mais jamais elle n'aurait cru que la perspective de perdre la petite chienne puisse l'abattre à ce point.

— Elle va revenir, chuchota Eliot, autant pour se persuader lui-même.

Au lieu de se fixer sur cet espoir, Susan ne pouvait s'empêcher de l'imaginer apeurée, errante dans des galeries souterraines sans fin. Elle s'affaiblirait jusqu'à ce qu'elle meure, de faim et de soif, seule...

La jeune fille secoua la tête.

Arrête de penser à des choses pareilles ! Ça ne sert à rien !

Ni Eliot ni elle ne se résolvaient à regagner leur chambre. Assis sur la première marche de l'escalier, face au hall plongé dans la pénombre, ils fixaient la porte d'entrée comme si soudain elle allait s'ouvrir d'elle-même pour laisser passer le petit molosse.

Dans un mouvement naturel, Susan posa la tête sur l'épaule d'Eliot. Le garçon mit un bras autour de ses épaules et déposa un baiser sur son front, si tendre que leur cœur à tous deux fondit. Susan aurait aimé lui parler de ce qu'il avait dit à Helen et à James, un peu plus tôt dans la journée. Du séisme émotif que sa déclaration avait provoqué en elle.

Il lui caressait doucement les cheveux, elle se sentait triste et heureuse. De la même façon, victime et coupable, bonne et mauvaise, capable du pire comme du meilleur.

Est-ce que tout le monde était comme ça ? Entre deux opposés ? Ou un peu des deux ? Et est-ce qu'on pouvait choisir ? Influencer ? Décider ?

Tu crois vraiment que c'est le bon moment pour te poser des questions existentielles ? se rabroua-t-elle.

Tout ce dont elle était sûre, c'est que la douceur d'Eliot à cet instant précis lui procurait un apaisement qu'elle avait rarement ressenti. Elle ferma les yeux, s'arrêta de penser, s'assoupit.

Combien de temps restèrent-ils tous les deux là, blottis l'un contre l'autre ? Sans doute pas plus de quelques minutes. Ils avaient sombré ensemble, et ils revenaient à la réalité de la même façon, tirés de leur somnolence par un bruit semblant provenir de la bibliothèque, entre le salon et le bureau.

Ils se regardèrent et, malgré la pénombre, chacun lut sur le visage de l'autre la même stupéfaction pleine d'espoir. Eliot saisit la main de Susan et l'entraîna dans le couloir du rez-de-chaussée.

Lorsque la jeune fille ouvrit la porte de la bibliothèque, leurs doutes à tous deux s'étaient déjà évanouis. Ils s'agenouillèrent et Georgette se précipita sur eux, frétillante, affectueuse, plus vivante que jamais.

— Oh, ma p'tite grosse, tu es là, tu es bien là !

Eliot riait et pleurait à la fois, Susan n'en était pas loin. Dressée sur ses pattes arrière, la chienne leur léchait le visage en poussant des gémissements de joie.

— Chut, tu vas finir par réveiller les parents !

Susan la prit dans ses bras pour la calmer et ils entrèrent tous les trois dans la pièce.

— Je préviens Alfred, fit Eliot en sortant son portable.

Il pianota à toute vitesse l'annonce de la bonne nouvelle. Quelques secondes plus tard, il recevait un SMS contenant une dizaine d'émoticônes souriantes et de pouces levés.

— Alors, maintenant, tu vas nous montrer par où tu es passée ! chuchota Susan en regardant Georgette bien en face.

Peu coopérative, la chienne entreprit de se gratter consciencieusement les oreilles.

— Georgette ! C'est très important ! Comment tu as pu te retrouver dans cette pièce alors qu'elle était fermée ?

— Susan... intervint Eliot. Georgette est un animal... En plus, elle est très têtue.

Et pas très intelligente ! s'énerva Susan en pensée.

— On va devoir se débrouiller sans elle.

Eliot commença à soulever les rideaux et à inspecter les murs donnant sur l'extérieur, à la recherche d'une fenêtre mal fermée, d'un trou. D'une explication.

Susan, elle, examina la cheminée, la porte communiquant avec le salon, les panneaux de bois plaqués à mi-hauteur des murs. Tout était parfaitement en place, solidement fermé ou fixé.

De plus en plus perplexes, les deux ados orientèrent leurs recherches vers le sol, tâtèrent les lattes de parquet du bout du pied, se penchèrent pour regarder sous les meubles, en vain.

— Georgette, tu ne nous donnerais pas un indice, par hasard ? grommela Susan.

Les mains sur les hanches, elle contempla les étagères de livres. Les ouvrages étaient bien alignés, aucun ne dépassait.

— Eliot ! Viens voir !

Le garçon interrompit son examen du parquet. Susan s'était agenouillée devant un des placards intégrés à la bibliothèque, sous les rayonnages.

— J'ai failli ne pas le voir, mais celui-là n'était pas fermé, regarde !

Elle tira la petite porte qui s'ouvrit sans qu'elle ait eu à actionner la poignée et plongea la tête à l'intérieur.

— Je sens un courant d'air !

Elle avança davantage, jusqu'à la taille, et ressortit, l'air victorieux.

— Il y a une trappe verticale, une sorte de chatière tout au fond !

— Assez grande pour Georgette ?

— Je dirais même assez grande pour un *être humain* ! s'exclama Susan.

Elle se redressa, fit face à Eliot qui lui mit les mains sur les épaules.

— Susan Hopper, tu viens de découvrir un passage secret !

— J'en ai bien l'impression, Eliot Hopper !

Ils se sourirent, à nouveau exaltés.

— Tu as ta dague ?

— Toujours ! fit-elle en soulevant sa marinière.

— Alors, on y va ?

Elle s'engouffra la première. Au-delà de la trappe, il fallait ramper sur deux ou trois mètres, puis le boyau débouchait sur un couloir étroit et bas de plafond. Mais Eliot et Susan n'étaient pas très grands, ils n'avaient pas besoin de se baisser.

Leur progression était d'autant plus rapide que le passage était éclairé. Des lampes à huile, fixées à mi-hauteur tout le long du parcours, projetaient une lumière chiche, mais suffisante. Les deux ados marchaient d'un pas nerveux, l'angoisse et l'excitation chevillées au corps, sans se lâcher la main.

— Je suis sûre que Morris empruntait ce passage lorsqu'il voulait rejoindre Meredith, souffla Susan.

De temps à autre, le couloir virait sur la droite, ou sur la gauche. Parfois, il offrait d'autres embranchements, beaucoup plus étroits. Dieu seul savait où ils pouvaient conduire. Eliot et Susan préféraient ne pas y penser et suivaient la galerie principale, convaincus qu'elle les mènerait là où il fallait qu'ils aillent.

Ce qui ne les empêcha pas d'être complètement abasourdis lorsqu'ils débouchèrent sur une petite pièce.

Une véritable chambre funéraire au milieu de laquelle reposait feue Meredith O'More, dans toute la splendeur de sa jeunesse éternelle.

45.

Une ombre flottait au-dessus du corps en attente de renaissance depuis plus de trois cents ans. Étendue de tout son long dans une robe blanche, mains croisées sur le ventre, cheveux dénoués sur les épaules, Meredith ressemblait à ces saintes dont on pouvait voir les illustrations dans les musées ou les églises.

— Qu'est-ce qu'elle est belle... ne put s'empêcher de murmurer Susan.

— Oui... acquiesça Eliot, lui aussi très impressionné. Mais à quel prix ?

Ils s'avancèrent à pas de velours. L'ombre suspendue émit des vibrations menaçantes qui la faisaient tour à tour ressembler à une main griffue et à unc tête cornée.

Susan sortit sa dague, avec autant de précautions que si elle avait affaire à quelqu'un de bien réel, de bien vivant.

— Nc te pose aucune question, lui conseilla Eliot. Fais-le.

Susan tourna la tête vers lui. Il lut dans son regard qu'en dépit de sa terreur, rien ne l'arrêterait.

Elle s'approcha du corps immobile. Durcit son cœur, son esprit. Sa poigne autour du manche de la dague.

La malédiction allait prendre fin. Les esprits amis seraient libérés, les ennemis, anéantis, la vie reprendrait ses droits.

Enfin.

L'ombre rugit lorsque Susan leva les bras en l'air et vint se placer entre Meredith et la jeune fille. Ignorant cet obstacle, Susan n'hésita plus et abattit la dague de toutes ses forces dans le cœur de la gisante.

Malgré la puissance de son coup, elle comprit aussitôt qu'elle venait d'échouer.

La lame ne s'était pas enfoncée !

Le corps de Meredith s'avérait être aussi dur que celui d'une statue de marbre. Et pourtant, sa vitalité bouillonnait, comme si le coup de dague l'avait ramenée en surface : ses yeux s'étaient ouverts, noirs et diaboliques, des veines bleues sinuaient sous sa peau, ses narines palpitaient, avides d'air.

Paniquée, Susan assena un nouveau coup. La lame ripa sur la robe de pierre, tandis que Meredith ouvrait la bouche dans un cri muet.

Au-dessus de Susan et de ce corps qui se ranimait peu à peu, l'ombre grondait. La jeune fille sentit son courage l'abandonner. Elle n'était pas de taille.

Venue de nulle part, une autre ombre d'un bleu extraordinairement lumineux s'éleva soudain sous ses yeux et projeta la maudite vers le plafond. Les puissances semblèrent alors se neutraliser, sans doute pour mieux se lancer à l'assaut l'une de l'autre.

— Ça va ? Tu n'as rien ? souffla Eliot.

— Comment on va faire ?

La panique tordait Susan de l'intérieur.

Eliot était aussi démuni qu'elle, peut-être encore plus désespéré.

Soit il allait mourir, soit les démons finiraient par avoir la peau de Susan.

Et si lui ne mourait pas, vivre sans elle n'avait aucun sens.

Donc, l'histoire ne pouvait pas bien se terminer.

— Le parfum... murmura la jeune fille.

Le nez en l'air, elle humait comme elle l'avait fait pendant des années à la recherche de la fragrance qu'elle ne pouvait oublier. L'ombre bleue flottait toujours, gardant la noire à distance.

— Maman... c'est toi, maman...

Susan regarda Eliot, les yeux écarquillés, petite flamme au fond de l'iris droit.

— C'est ma mère, Eliot ! Elle veut me dire quelque chose !

— Je le sens, moi aussi... le parfum...

Ils comprirent la même chose au même moment. Le cœur soudain regonflé, Eliot attrapa la main de Susan et ils prirent le chemin inverse, courant éperdument le long du passage secret qui leur parut beaucoup plus court qu'à l'aller.

Georgette les accueillit gaiement lorsqu'ils émergèrent du placard de la bibliothèque.

— Ma p'tite grosse, t'es géniale ! fit Susan en la gratifiant d'une caresse.

Puis, se tournant vers Eliot :

— On fait comment pour le récupérer ?

— Je vais y aller. Si mes parents se réveillent, je pourrai toujours leur dire que je ne me sens pas bien.

Susan réfléchit un instant.

— Tu es sûr que ça va aller ? s'enquit-elle, sincèrement tracassée.

— Mmm.

— Je t'accompagne. Et je ne reste pas loin.

Elle lui ouvrit la porte de la chambre d'Helen et de James, sanctuaire interdit, et Eliot se faufila à l'intérieur. Plaquée contre le mur, Susan attendit, sans aucune patience.

Il ne faut quand même pas des heures pour trouver ! pesta-t-elle, consciente et furieuse de son ingratitude.

Eliot finit par réapparaître.

— Taadaam ! murmura-t-il en brandissant le flacon de parfum d'Helen.

— Génial !

Ils foncèrent à nouveau dans la bibliothèque, se glissèrent dans le placard et coururent à en perdre haleine jusqu'à la chambre funéraire.

Rien n'avait bougé.

Les lampes à huile, projetant une lumière dorée et tremblante.

L'ombre noire et l'ombre bleue, face-à-face de deux forces rivales.

Meredith O'More, regard sombre et flamboyant, pétrifiée, mais certainement plus pour très longtemps.

Susan s'approcha et ouvrit le flacon. Le parfum lui faisait toujours autant d'effet. Réconfort, force et tendresse se diffusèrent dans ses veines, lui procurant un invincible sentiment de courage.

Elle tendit le bras au-dessus du corps de Meredith. L'ombre noire mugit, alors que des pas précipités résonnaient de plus en plus fort dans les galeries.

Susan ne fut pas surprise lorsque Daniel, Morris et leurs cinq dernières alliées apparurent dans la chambre. Au fond d'elle, elle s'avouait heureuse de les voir assister à la chute de celle qui les soumettait depuis si longtemps.

Au moment même où ils s'avançaient dans sa direction, elle laissa tomber une goutte du parfum maternel sur le corps maudit de Meredith. Les sept démons s'arrêtèrent en plein élan. Stupéfaits par leur immobilité soudaine, ils fixèrent Susan. La jeune fille ne sut que lire dans leur regard, étonnement, regret, haine... Un peu de tout cela, sûrement.

Puis, en un instant, ils redevinrent ce qu'ils étaient depuis si longtemps : une poignée de cendres grises.

Susan n'en éprouva aucune peine. Ni aucun plaisir.

Peut-être parce que rien n'était terminé. Ébranlée, Susan reporta toute son attention sur Meredith. Celle qui était à l'origine de la terrible malédiction se disloquait sous l'effet du parfum comme s'il s'agissait d'un redoutable acide. Sa bouche grande ouverte laissait échapper des flammes noires, le fiel et la cruauté qui avaient été ses moteurs pendant des siècles et qui la rongeaient aujourd'hui de l'intérieur. Elle se débattait vainement sur son lit de marbre, alors que sa beauté fondait comme de la cire, révélant toute la laideur de son âme.

Elle tendit ses mains osseuses vers l'ombre noire, un ultime appel à l'aide à son démon. L'ombre vint à elle, s'unit à sa maîtresse damnée et disparut, engloutie par la puissance de mort.

De la même façon que ses vassaux, le corps de Meredith finit par redevenir poussière. Il ne restait plus rien de celle qui avait causé tant de souffrances aux ancêtres de Susan. Depuis Morris jusqu'à la jeune fille, les Rosebury avaient enduré des siècles de tragédies. Emma et Daniel, ainsi que tous les autres avant eux, morts pour rien, damnés pour rien. Alors qu'une simple goutte de parfum avait suffi à tout arrêter.

De l'amas de cendres s'éleva l'âme déchue de la terrible femme, une aura sombre, silhouette marbrée de noir et de feu, si semblable à son démon. Au même instant, des centaines d'enfants apparurent dans la chambre funéraire, des bébés enveloppés dans des langes, des bambins en robe ou en blouse, des petites filles, des petits garçons, tous les innocents que Meredith avait massacrés dans son rêve dément de jeunesse éternelle.

Son âme tenta bien d'échapper aux petites mains qui se tendaient vers elle pour l'attraper. Mais elles étaient si nombreuses, comment l'aurait-elle pu ?

Elle les supplia, les assura de ses regrets, leur promit des merveilles.

Rien n'y fit. Les enfants avançaient toujours, l'encerclaient, l'acculaient.

Elle les menaça, hargneuse, mauvaise.

Alors ils la couvrirent de leurs corps sacrifiés et l'emportèrent.

* * *

En appui contre le lit de marbre, Susan tremblait des pieds à la tête. Il n'existait plus aucune trace de la terrible scène qui venait de se dérouler, si ce n'étaient huit tas de cendres grises.

— On a réussi ! bredouilla-t-elle. Eliot, on a réussi !

Elle balaya la chambre du regard avant qu'un monstrueux vertige ne la paralyse. Elle s'effondra, les yeux grands ouverts et la main tendue vers les bandes de tissu bleu que portait Eliot aux poignets, abandonnées sur le sol.

46.

Debout devant la porte d'entrée, Susan se retourna et contempla le hall, l'escalier, le salon dont on ne voyait qu'une partie, comme découpée par des ciseaux géants.

Elle se força à inscrire le plus infime détail dans sa mémoire, les lunettes de ski d'Eliot posées sur la console, le bouquet de roses aux effluves si doux, le porte-clés en forme de sablier, les plis du tapis que Georgette avait déplacé en courant comme une folle...

Chacun de ces détails lui faisait l'effet d'une aiguille chauffée à blanc, mais elle devait les emporter. De la même façon, elle repassa quelques-uns de ses plus beaux souvenirs. Les Hopper arrivant au Home pour la chercher, Helen cousant des croix rouges sur les coudes de sa marinière, lui montrant comment trier le linge, comment préparer du thé... Ses confidences sur ses parents... Alfred. Alfred et ses tenues désaccordées. Alfred et ses mots bizarres. Alfred et son soda imbuvable... Le premier regard échangé avec Eliot, leurs rires au bord de la piscine en pleine nuit, leur premier baiser…

La souffrance était telle qu'elle empêchait Susan de pleurer. Les larmes restaient en dedans, se transformaient en plomb liquide, en lave, en poison.

Eliot était mort. Meredith l'avait dévoré comme elle avait dévoré les enfants.

La malédiction était vaincue, et pourtant elle avait été la plus forte.

Son regard tomba sur la photo de famille accrochée au mur. Helen, James, Eliot alors qu'il avait trois ou quatre ans.

J'aurais pu être heureuse avec vous… J'aurais dû être heureuse avec vous… se répétait-elle en boucle.

Son téléphone vibra dans sa poche. Susan n'eut pas le courage de décrocher.

Tout est fini, écrivit-elle sur l'écran sans écouter le message vocal laissé par Alfred.

Puis elle posa le petit appareil sur la console, à côté des lunettes que le garçon ne mettrait plus, saisit la boîte contenant les minuscules trésors de son enfance et sortit.

* * *

L'horizon commençait à se détacher sur le loch, une mince ligne de lumière encore assoupie. Le jour ne tarderait pas à se lever.

Susan s'engagea dans l'allée, sans se retourner cette fois. Quand on partait, il ne fallait pas se retourner. Surtout quand on partait pour toujours.

Où irait-elle ? Elle n'en avait aucune idée, ne se posait même pas la question. Elle ne voulait qu'une chose : se dissoudre, disparaître, effacer sa présence, son existence, tout en sachant qu'il était trop tôt pour qu'elle trouve le courage de choisir si elle devait – ou voulait – vivre ou mourir.

Toutes ses forces s'étaient envolées lorsqu'elle avait vu les bracelets de tissu bleu sur le sol. Son cœur venait d'être torpillé. L'avenir n'existait plus, à peine restait-il des bribes de présent et le passé, bien sûr, énorme masse de cendres.

Elle jeta un regard perdu vers le loch, puis vers la forêt, et s'éloigna à l'opposé, vers la route.

Est-ce un réflexe mécanique de son corps qui la fit se retourner ? Un sursaut de sa volonté ? Un effet de son instinct de survie ? Peu importait… L'essentiel, c'est ce que ses yeux distinguaient dans les herbes hautes du parc. Et si c'était un mirage, tant pis, tant mieux… elle mourrait plus vite.

Elle se mit à courir en direction de la maison d'Alfred. Elle manqua tomber plusieurs fois sur la pente douce rendue glissante par la rosée. Mais dès lors que ses yeux avaient accroché la silhouette, ils ne pouvaient s'en détacher, dût-elle chuter, s'écorcher, se casser une jambe ou un bras.

— Dis-moi que tu es vrai... Je t'en supplie, dis-le-moi.

Eliot était là. Devant elle.

Elle tremblait à l'idée de lever la main jusqu'à son visage, de l'effleurer, de le toucher. De peur qu'il ne disparaisse complètement.

Lui n'hésita pas. Il la prit dans ses bras, la serra avec toute la puissance de la terreur passée et du bonheur présent.

Un sanglot colossal explosa non seulement dans le cœur de Susan, mais également dans tout son être. Les lèvres douces et chaudes d'Eliot cherchèrent les siennes, pâles et gercées. Il n'était plus le garçon non mort et non vivant qui marchait sur un fil, en équilibre entre deux mondes.

Il était Eliot. Le vrai Eliot. Celui de toujours.

Susan caressa ses joues du bout des doigts. Le garçon baissa les yeux. Il avait examiné son reflet dans le miroir après être revenu à lui. Il avait vu. Il savait. Les taches brunes causées par son exposition démoniaque aux rayons de soleil avaient quasiment disparu. Elles affleuraient désormais sous sa peau telles des ombres lointaines et inoffensives. En devenant cendres, Meredith O'More avait emporté le mal ayant failli le faucher.

Eliot était amaigri, affaibli, encore fragile. Mais il était vivant.

— Il va faire jour, on doit rentrer, murmura-t-il.

Laissant l'horizon orangé derrière eux, ils se précipitèrent vers le manoir, main dans la main.

Une fois dans l'entrée, Eliot plaqua Susan contre la porte et prit son visage entre ses mains en coupe.

— Tu partais ? demanda-t-il.

Elle acquiesça d'un mouvement de tête.

— Tu n'as pas écouté le message d'Alfred ?

Non ! Il a voulu me prévenir et moi, je ne l'ai pas écouté ! se dit-elle en pensant à son téléphone posé sur la console.

— Je t'aurais retrouvée, tu sais... ajouta Eliot.

Il l'embrassa à nouveau, leur cœur tambourinant l'un contre l'autre.

— Hum hum... fit quelqu'un depuis l'escalier.

Helen apparut, en pyjama. Eliot se dégagea, juste ce qu'il fallait pour ne pas mettre sa mère mal à l'aise.

— Qu'est-ce que vous faites là, tous les deux ? On est dimanche, vous auriez pu faire la grasse matinée ! s'étonna-t-elle.

— J'avais envie de me balader sans tout mon attirail, répondit Eliot.

Helen montra sa réprobation par un haussement de sourcils – sa spécialité.

— Et tu as cru bon d'entraîner Susan avec toi ? Je te rappelle qu'elle a besoin de se reposer...

— Oh, j'en avais envie, moi aussi ! s'exclama Susan. Et de toute façon, je ne dormais plus...

Helen soupira, résignée mais attendrie. Aux oreilles de Susan, c'était le soupir le plus extraordinaire qu'elle ait jamais entendu. Le soupir qui fondait les bases de la vie à venir, ici, chez les Hopper.

— Bien, fit-elle. Que diriez-vous d'un bon petit déjeuner ?

Elle ne comprit pas pourquoi les deux ados éclatèrent de rire. Mais cela n'avait aucune importance. Les entendre et les voir ainsi était si bon...

* * *

Susan n'aurait jamais osé rêver d'un dimanche aussi merveilleux que celui-là. Et pourtant... James, Helen et Eliot semblaient ne pas vouloir s'éloigner d'elle, sans pour autant imposer leur présence à tout prix. Non. Tout se faisait avec légèreté, délicatesse, naturel.

Ils avaient tous les quatre envie d'être ensemble, tout simplement.

Comme aux premiers jours, mais avec beaucoup plus de sérénité, ils se retrouvaient dans la bibliothèque, devant un bon feu. James lisait la biographie d'un homme politique, Georgette ronflotait à ses pieds, Helen buvait du thé aux épices en observant Susan et Eliot qui, casque sur les oreilles, regardaient une série sur l'ordinateur portable du garçon, collés l'un contre l'autre sur le canapé face à elle.

Par la fenêtre, on pouvait apercevoir la petite maison d'Alfred et sa cheminée qui fumait.

De temps à autre, Susan ne pouvait s'empêcher de lever les yeux. Elle croisait alors le regard d'Helen, dénué de toute la sévérité des débuts. Tant de barrières étaient tombées.

Et puis il y eut ce moment étrange dont seule la jeune fille fut témoin. Emma, sa mère, était là, dans la pièce. Les contours bleutés de sa silhouette lui conféraient l'allure d'un esprit empreint de bonté et de douceur.

Émue, Susan ne retira pas son casque, même si l'action battait son plein sur l'écran. Helen, quant à elle, semblait si perdue dans ses pensées qu'elle ne remarqua rien quand Emma s'approcha d'elle. Mais sans doute en était-elle incapable.

Emma se pencha vers elle, lui glissa quelques mots à l'oreille, puis retira le foulard qu'elle portait pour le mettre autour de son cou. Aussi immatériel qu'Emma, Helen ne pouvait le sentir. Pourtant, elle porta la main à sa gorge, les yeux soudain humides.

Emma se tourna vers Susan, le regard apaisé, peut-être un peu triste, déjà lointain.

Puis elle disparut.

Bouleversée, Susan chercha Helen des yeux, avec l'envie infinie de partager ce qui venait de se passer.

Helen la regardait. Avec aux lèvres le sourire que seules les mères savent avoir.

Et Susan sentit alors son cœur s'ouvrir.

Aussi vaste, aussi ample, aussi éternel que l'horizon.

Merci à notre éditeur, ainsi qu'à toute l'équipe XO de rendre possible cette formidable métamorphose de nos rêves en histoires.

Des mêmes auteurs

Tugdual

Tugdual, tome 1, *Les Cœurs noirs*, XO Éditions, 2014. Pocket, 2016.

Tugdual, tome 2, *Les Serviteurs de l'Ordre*, XO Éditions, 2015.

Tugdual tome 3, *La Terre des origines*, XO Éditions, 2015.

Oksa Pollock

Oksa Pollock, tome 1, *L'Inespérée,* XO Éditions, 2010. Pocket, 2012.

Oksa Pollock, tome 2, *La Forêt des égarés,* XO Éditions, 2010. Pocket, 2013.

Oksa Pollock, tome 3, *Le Cœur des deux mondes,* XO Éditions, 2011. Pocket, 2013.

Oksa Pollock, tome 4, *Les Liens maudits,* XO Éditions, 2012. Pocket, 2014.

Oksa Pollock, tome 5, *Le Règne des félons,* XO Éditions, 2012. Pocket, 2014.

Oksa Pollock, tome 6, *La Dernière Étoile*, XO Éditions, 2013. Pocket, 2015.

Les Petites Histoires de Dragomira, XO Éditions, 2014.

Oksa Pollock en bande dessinée

Éric Corbeyran, Nauriel, Anne Plichota, Cendrine Wolf
Oksa Pollock, tome 1, *L'Inespérée*, XO Éditions, 12 bis, 2013.

Oksa Pollock a reçu le prix Ado 2012 de la Ville de Rennes, Ille-et-Vilaine, ainsi que le prix du Jury des jeunes lecteurs de la Ville de Vienne (Autriche).

Susan Hopper

Susan Hopper, tome 1, *Le Parfum perdu,* XO Éditions, 2013.

Susan Hopper a reçu le prix du Meilleur roman jeunesse 2013, les Étoiles du *Parisien/Aujourd'hui en France.*

Composition et mise en pages
Nord Compo à Villeneuve-d'Ascq

Impression réalisée par CPI Bussière
à Saint-Amand-Montrond (Cher),
en avril 2016

N° d'édition : 2524/01 – N° d'impression : 2021332
Dépôt légal : avril 2016

Imprimé en France

FSC
www.fsc.org
MIXTE
Papier issu
de sources
responsables
FSC® C123930